Verdades ocultas

SERIE PERFECTA IMPERFECCIÓN

NEVA ALTAJ

Traducción, edición y corrección al español por: Sirena Audiobooks LLC
Diseño de portada por Deranged Doctor
(www.derangeddoctordesign.com)

Nota de la autora

Estimado lector, hay algunas palabras rusas mencionadas en el libro, así que aquí están las traducciones y aclaraciones:

Pakhan (пахан) – el jefe de la mafia rusa.

Bratva (братва́) – crimen organizado ruso o mafia rusa.

Lisichka (лиси́чка) – zorrita.

Palomita; un diminutivo de *"paloma"* que significa *"pequeña paloma"*. En la versión original en inglés *Palomita* está en el idioma español.

ADVERTENCIA

Tenga en cuenta que este libro contiene contenido que algunos lectores pueden encontrar perturbador, como: escenas sangrientas, violencia, abuso y descripciones gráficas de tortura. También se mencionan temas de trastorno de estrés postraumático (PTSD) y otras condiciones de salud mental.

Si bien todos queremos creer que el amor cura todas las heridas, ten en cuenta que esta historia es una obra de ficción. Si sufres de PTSD o luchas con otros problemas de salud mental, hay ayuda disponible. Comunícate con tu familia y amigos, un médico u otro profesional de confianza, como un consejero o líder espiritual. ¡No estás solo!

VERDADES

SERIE PERFECTA IMPERFECCIÓN

ocultas

Correspondencia por correo electrónico

Hace quince años

De: Felix Allen
Para: Capitán L. Kruger
Asunto: Sergei Belov

Capitán,

Siento la necesidad de expresar mi gran preocupación con respecto al nuevo recluta que me han asignado, Sergei Belov. El chico Belov es extremadamente inteligente y muestra un gran potencial físico. Sin embargo, no estoy seguro de que sea la elección correcta para nuestro programa. Solo tiene catorce años, y eso es demasiado joven, además, su perfil psicológico no se ajusta a nuestros requisitos. En términos sencillos, es un protector. Tampoco es un individuo naturalmente violento, y no estoy seguro de qué tan sabio sea proceder. Creo que debería ser reasignado a otra unidad o devuelto al centro correccional juvenil del que fue sacado.

Felix Allen
Unidad Z.E.R.O.
Supervisor de Sergei Belov

Once años atrás

De: Felix Allen
Para: Capitán L. Kruger
Asunto: IMPORTANTE. Sergei Belov

Capitán,

Soy consciente de su posición con respecto al chico Belov. También soy consciente de que su rendimiento superior y su puntaje de entrenamiento impecable en los últimos años pueden llevar a la conclusión de que se ha aclimatado bien y que está listo para ser enviado a misiones de campo. En mi opinión profesional NO es apto para realizar las misiones asignadas a la operación Proyecto Z.E.R.O., y recomiendo que sea transferido a una de las unidades estándar lo antes posible.

Felix Allen
Unidad Z.E.R.O.
Supervisor de Sergei Belov

Hace ocho años

De: Felix Allen
Para: Capitán L. Kruger
Asunto: Aviso de solicitud de transferencia

Capitán,

Sergei Belov ha estado mostrando un comportamiento muy preocupante desde que regresó de la misión de Colombia en febrero. Adjunto mi informe completo con este correo electrónico, pero para resumir los puntos más importantes: arrebatos violentos, pérdida de conexión con la realidad y episodios catatónicos aleatorios.
Quería informarle que he solicitado oficialmente un traslado para él, así como una evaluación psiquiátrica.
¿Qué pasó ahí, Lennox? ¿Por qué se me niega el acceso al informe de la misión? Sergei no me lo dice, y cuando intenté preguntar, me dijeron que lo dejara así o enfrentaría las consecuencias. Necesito saber qué pasó en Colombia porque obviamente fue un detonante del cambio en su comportamiento.

Felix Allen
Unidad Z.E.R.O.
Supervisor de Sergei Belov

Hace seis años

De: Felix Allen
Para: Capitán L. Kruger
Asunto: Urgente

Necesito que liberes a Sergei Belov del servicio. Representa un peligro para otras personas, pero sobre todo para sí mismo. Intenté explicártelo varias veces, sin embargo, no me escuchaste. No puedes tomar a un niño normal y convertirlo en tu arma sin consecuencias. No todo el mundo está en condiciones de ser un maldito asesino a sueldo, Lennox, no importa lo jóvenes que los pongas en el entrenamiento. Es solo cuestión de tiempo antes de que se rompa, y cuando lo haga, creará un caos que tendrás que explicar a nuestros superiores.

Felix Allen
Unidad Z.E.R.O.
Supervisor de Sergei Belov

Hace cuatro años

De: Capitán L. Kruger
Para: Felix Allen
Asunto: ¿Dónde está mi soldado?

Felix,

Te espero en mi oficina mañana por la mañana. Quiero saber, ¿cómo demonios convenciste al almirante de liberar a Belov y a ti? ¡¿Y dónde escondes a mi soldado?!

Capitán Lennox Kruger
Comandante del proyecto Z.E.R.O.

De: Felix Allen
Para: Capitán L. Kruger
Asunto: Re: ¿Dónde está mi soldado?

Vete a la mierda, Lennox.
Espero que tu proyecto favorito vuelva a morderte el trasero muy pronto.

Felix

Capítulo

uno

Tres días atrás

Hay exactamente once pedazos de carne y veintitrés papas fritas en el plato. Los he contado al menos veinte veces desde que Maria trajo la comida hace dos horas. Era más difícil de resistir mientras la comida aún estaba caliente, llenando mis fosas nasales con su aroma. Pero incluso ahora, se me hace agua la boca y se me encoge el estómago.

El segundo día fue el peor. Pensé que perdería la cabeza, así que comencé a contar los pedazos de comida e imaginé que me los estaba comiendo. Eso ayudó un poco. Tal vez hubiera sido más fácil si la carne no estuviera cortada en pedazos pequeños, cada uno burlándose de mí. Podría haber tomado solo uno, y nadie se habría dado cuenta. No sé cómo lo logré ese día.

Estoy en el quinto día de mi huelga de hambre. Me traen comida y agua tres veces al día, pero no toco nada más que agua. Prefiero morir de hambre que casarme por voluntad propia con el asesino de mi padre.

La puerta del otro lado de la habitación se abre y entra Maria. Fuimos mejores amigas una vez. Hasta que empezó a coger con mi padre. Me pregunto cuándo decidió cambiarlo por Diego Rivera, el mejor amigo de mi padre, socio comercial y, desde hace cinco días, su asesino.

—Esto no tiene caso, Angelina —expresa Maria, parándose frente a mí con las manos en la cadera—. Te casarás con Diego de una forma u otra. ¿Por qué elegir el camino más difícil?

Me cruzo de brazos y me apoyo contra la pared.

—¿Y por qué no tú? —pregunto—. Ya lo estás follando. ¿Por qué detenerse allí?

—Diego nunca se casaría con la hija de un sirviente. Sin embargo, seguirá cogiéndome. Ella me regala una de sus miradas particularmente condescendientes—. Dudo que quiera tocarte ahora, seas hija de Manny Sandoval o no. Nunca fuiste nada especial, ya que ahora pareces medio muerta.

—Podrías pedirle que me deje ir y tenerlo todo para ti.

No puedo imaginar cómo soporta que ese cerdo la toque. Diego es mayor que mi padre y apesta. Siempre asociaré el olor a sudor rancio y colonia barata con él.

—*Oh*, lo haría. Con mucha alegría. —Sonríe—. Si pensara que funcionaría. Diego cree que hacerse cargo de los contratos comerciales de tu padre será mucho más fácil con la princesa Sandoval como esposa. Esperará un día, tal vez dos más. Luego, te arrastrará al altar. Ha sido increíblemente paciente contigo, Angelina. No deberías ponerlo a prueba por mucho más tiempo. —Toma el plato con la comida intacta y sale de la habitación, cerrando la puerta detrás de ella.

Me acuesto en mi cama y observo cómo las cortinas ondean con la ligera brisa de la tarde. Me siento mareada desde esta mañana, así que conciliar el sueño ya no es tan difícil como hace unos días. Tampoco me quedan más lágrimas.

Todavía no puedo creer que mi papá se haya ido. Tal vez no era el mejor padre del planeta, pero era mi padre. El trabajo siempre fue lo primero para Manuel Sandoval, lo cual no era inusual. Nadie esperaba que el jefe de uno de los tres cárteles mexicanos más grandes pasara un día jugando a las escondidas con su hija ni nada por el estilo, no obstante, él me amaba a su manera. Una sonrisa triste se forma en mis labios. Puede que Manny Sandoval no viniera a mis recitales ni me ayudara con la tarea, sin embargo, se aseguró de que yo supiera disparar casi tan bien como cualquiera de sus hombres.

Una risa masculina llega desde el patio, haciéndome estremecer. Ese bastardo mentiroso y sus hombres todavía están celebrando. No fue suficiente que matara a mi padre, el hombre con el que hizo negocios durante más de una década. *Oh*, no. Tomo las riendas de su casa y sus contratos comerciales. Y ahora, también quiere llevarse a su hija.

Cierro los ojos y recuerdo el día en que Diego vino a nuestra casa. Nadie sospechaba nada porque hacía años que visitaba a mi padre al menos una vez al mes. Cuando nos dimos cuenta de lo que estaba pasando, ya era demasiado tarde.

No debí haber atacado a Diego ese día. Lo único que provoqué fue un golpe en la cara que me hizo ver estrellas. Cuando vi el cuerpo de mi padre tirado en el suelo, con sangre acumulada a ambos lados, no podía pensar con claridad. Matar al idiota era lo único que tenía en mente. En lugar de esperar una mejor oportunidad, ignoré por completo a sus dos soldados, tomé una de las espadas decorativas que colgaban en la pared de la oficina y me abalancé sobre Diego. Sus hombres me atraparon incluso antes de que me acercara a su jefe. Y se rio. Y luego se rieron un poco más cuando Diego me dio una bofetada en la cara, casi dislocándome la mandíbula.

Me sorprende que no haya venido a cogerme ya. Probablemente esté ocupado violando a las chicas que trajo y encerró en el sótano antes de enviarlas a los hombres que las compraron. Me pregunto si me venderá a mí también, o si simplemente me matará cuando se dé cuenta de que prefiero morir antes que tener nada que ver con él.

Entierro mi cara en la almohada.

El sonido de los pasos apresurados de alguien, me despierta de mi sueño. Lentamente y sin abrir los ojos, busco debajo de la almohada y envuelvo la mano alrededor del reposabrazos de la silla que desarmé hace tres días. Coloqué mi arma improvisada allí para cuando Diego finalmente decidiera visitarme.

—¡Angelinita! —Una mano agarra mi hombro y me sacude—. Despiértate. No tenemos mucho tiempo.

—¿Nana? —Me siento en la cama y entrecierro los ojos hacia la niñera de mi infancia—. ¿Cómo entraste?

—¡Vamos! Y haz silencio. —Agarra mi mano y me empuja fuera de la habitación.

Me han tenido prisionera en mi habitación, y no he comido durante cinco días seguidos. Mis pies se arrastran mientras trato de seguir el ritmo de mi vieja y frágil nana, quien prácticamente me arrastra por el pasillo y por dos tramos de escaleras hasta que llegamos a la cocina. Diego no pone guardias dentro de la casa, y el resto del personal sale alrededor de las diez. Debe ser bien entrada la noche, ya que no nos encontramos con nadie.

Nana me mueve para pararme frente a la puerta de vidrio que da al patio trasero y me señala con el dedo:

—¿Ves ese camión? Se van en veinte minutos. Diego está enviando drogas a los italianos en Chicago, y me dijo que enviara a una de las chicas con el cargamento como regalo. —Me observa—. Vas a ir tú en su lugar.

—¿Qué? No. —Pongo mi mano en su mejilla arrugada mientras me apoyo en la pared con la otra en caso de que mis piernas flaqueen—. Diego te va a matar.

—Te vas. No dejaré que ese hijo de puta te tenga.

—Nana...

—Cuando llegues a Chicago, puedes quedarte con algunos de tus amigos estadounidenses con los que estudias. Diego no se atreverá a cruzar la frontera para ir detrás de ti.

—No tengo papeles ni pasaporte. ¿Qué haré cuando llegue allí? —Omito mencionar que tampoco tengo tantos amigos allí—. Y el conductor me reconocerá.

—Probablemente no lo hará, te ves terrible. Pero nos aseguraremos, por si acaso.

Mete la mano en el cajón, saca unas tijeras y comienza a cortar mis pantalones cortos y mi camiseta en un par de lugares. Cuando termina, apenas queda tela para cubrir mis pechos y mi trasero. Como le gusta a Diego.

—Ahora, el cabello.

Cierro los ojos, respiro hondo y le doy la espalda. No dejo que se me salgan las lágrimas mientras nana me corta el cabello que me llegaba a la cintura hasta que apenas llega a mis hombros en mechones ligeramente desiguales.

—Tan pronto llegues a Chicago, comunícate con Liam O'Neil —dice—. Él puede ayudarte a obtener los papeles y un nuevo pasaporte.

—No creo que sea prudente, considerando la situación. ¿Y si O'Neil le dice a Diego que estoy allí? —Mi padre hizo negocios con los irlandeses desde el año pasado, pero nunca fue fanático de su líder. Llamó a Liam O'Neil un *bastardo complicado*.

—Hay que arriesgarse. Nadie más puede conseguirte documentos falsificados.

Miro el suelo donde mechones de cabello negro yacen alrededor de mis pies descalzos. Volverá a crecer... si vivo para ver que eso suceda.

Nana me toca el hombro.

—Gírate.

Cuando lo hago, agarra una maceta con su planta de agave favorita de la mesa, toma un puñado de tierra y comienza a untarme los brazos y las piernas con la tierra. Ella da un paso atrás, me mira, luego unta un poco en mi frente también.

—Listo —asiente.

Me miro. Mis huesos de la cadera sobresalen y mi estómago se ve hundido. Siempre fui delgada, pero ahora mi cuerpo parece como si alguien hubiera succionado cada pedazo de carne, dejando solo piel y huesos. Definitivamente me parezco a las chicas que Diego encerró en el sótano. Cuando miro hacia arriba, Nana me mira con lágrimas en sus ojos.

—Toma esto. —Agarra una bolsa que ha estado colgada en la silla y me la pone en las manos—. Algo de comida y agua. No me atreví a poner dinero, en caso de que el conductor decida revisarlo.

La envuelvo con mi brazo, hundo la cara en el hueco de

su cuello e inhalo el olor a polvo de suavizante de telas y galletas. Me recuerda a mi infancia, los días de verano y el amor

—No puedo dejarte, Nana.

—No hay tiempo para eso —solloza—. Vamos. Baja la cabeza y no hables.

Afuera, agarrándome de la parte superior del brazo, me arrastra hacia el camión estacionado frente al edificio de servicio.

—¡Ya era hora, Guadalupe! —grita el conductor y tira su cigarro al suelo—. Llévala a la parte de atrás. Estamos retrasados.

—No querrás acercarte a ella. —Nana me empuja alrededor del conductor—. La perra se vomitó encima. Apesta.

Mantengo la cabeza baja y trato de no tropezar mientras salto dentro de la parte trasera del camión. Mis piernas tiemblan por el esfuerzo de tratar de mantenerme erguida. Me agacho detrás de una de las cajas y me giro para mirar a nana Guadalupe por última vez, pero la gran puerta corrediza cae con un golpe antes de que pueda verla. Está completamente oscuro y, un minuto después, el motor cobra vida con un rugido.

Suena el teléfono en mi bolsillo trasero. Lanzo el cuchillo que he estado sosteniendo en mi mano derecha, luego agarro el teléfono y tomo la llamada.

—¿Sí?

—El cargamento de los italianos acaba de salir de México. —Roman Petrov, el *Pakhan* de la *Bratva* dice desde el otro lado. Necesito que vayas con Mikhail cuando los hombres salgan a interceptarlo mañana por la noche.

—¿*Oh*, en serio? ¿Esto significa que se me permite estar en el campo de nuevo?

Cuando me uní a la *Bratva* rusa hace cuatro años, comencé como soldado, y durante estos últimos años, escalé posiciones al círculo interno del *Pakhan*. Manejé las tareas de campo hasta hace un año cuando Roman me las prohibió.

—No. Esto será por única ocasión. Anton todavía está en el hospital y estamos cortos de personal, o nunca te enviaría.

—Tus discursos de motivación requieren un trabajo serio. —Lanzo el siguiente cuchillo por el aire.

—Cuando estás motivado, el número de muertos tiende a subir por las nubes, Sergei.

Pongo los ojos en blanco.

—¿Qué necesitas que haga?

—Interceptar su camión y explotarlo. Tendrá que ser mientras el conductor se detiene a dormir, porque nuestra información dice que hay una chica en el camión con las drogas. Tenemos que sacarla primero. Mikhail te llamará más tarde con más detalles.

—Está bien.

—¡Y asegúrate de que esta vez solo explote el camión! —brama y corta la llamada.

Lanzo el último de mis cuchillos, enciendo la lámpara y camino hacia la estrecha tabla de madera montada en la pared opuesta para inspeccionar mis lanzamientos. Dos de los cuchillos aterrizaron un poco por debajo del objetivo. Me estoy oxidando. Saco los cuchillos y vuelvo a cruzar la habitación. Enfocándome en la línea blanca pintada horizontalmente a lo largo de la tabla, vuelvo a apagar la luz.

Veinte minutos después salgo de mi habitación y bajo las escaleras para buscar a Felix.

—¡Albert! —grito.

Odia cuando lo llamo así, por lo que me aseguro de hacerlo siempre. Se lo merece porque decidió hacer de mayordomo en lugar de pasar su jubilación en una cabaña junto al mar como debería haber hecho cuando los militares nos dejaron ir. Nunca me dijo exactamente cómo logró liberarnos de nuestros contratos.

—¡Albert! ¿Dónde pusiste nuestra reserva de C-4?

—¡En la despensa! —exclama desde algún lugar de la cocina—. La caja debajo de la cesta con papas.

Resoplo. Y dicen que yo soy el loco. Doy la vuelta a las escaleras y abro la puerta de la despensa.

—¿Dónde?

—Once en punto. ¡Cuidado con tu cabeza!

Giro a la izquierda y golpeo mi cráneo contra la bolsa de equipo de golf que cuelga del techo.

—¡Dios! ¡Te dije que mantuvieras tus cosas en el garaje!

—No hay suficiente espacio —responde Felix detrás de mí—. ¿Por qué necesitas el C-4?

—Roman necesita que explote algo de mierda mañana.

—¿Otro almacén italiano?

—Un camión con sus drogas esta vez. —Saco la cesta con papas y alcanzo la caja—. No puedes almacenar explosivos con la comida, maldita sea. Voy a llevar esto al sótano.

—¡Necesito el día después de mañana libre! —revira detrás de mí—. Voy a llevar a Marlene al cine.

Me detengo y lo miro a los ojos.

—Tú no trabajas para mí. Eres una plaga de la que he estado tratando de deshacerme durante años, una que no se va. Vivo para el día en que finalmente te mudes con Marlene y me quites ese peso de encima.

—*Oh*, no me mudaré con ella en un futuro próximo. Es demasiado pronto.

—¡Tienes setenta y uno! ¡Si esperas mucho más, el único lugar al que te mudarás será al jodido cementerio!

—No. —Agita su mano como si no fuera nada—. Mi familia es conocida por su longevidad.

Cierro los ojos y suspiro.

—Estoy bien. No tienes que cuidarme. Marlene es una dama agradable. Ve a vivir tu vida.

La máscara despreocupada se desvanece del rostro de Felix mientras rechina los dientes y me fija la mirada.

—Estás lejos de estar bien, y ambos lo sabemos.

—Incluso si eso es cierto, ya no soy tu responsabilidad. Vete. Déjame lidiar con mi mierda solo.

—Duerme la noche completa, tres días seguidos y me voy. Hasta que eso suceda, me quedaré. —Se da vuelta y se dirige a la cocina, luego lanza por encima del hombro—: Mimi tiró la lámpara de la sala de estar. Hay vidrios por todas partes.

—¿Y no lo limpiaste?

—No trabajo para ti, ¿recuerdas? Si me necesitas, estaré en la cocina. Vamos a almorzar pescado.

Capítulo dos

Sergei

Estoy tirado debajo del camión, colocando el segundo paquete de explosivos cuando Mikhail maldice en algún lugar del otro lado.

—¡Sergei! ¿Ya terminaste?

—Solo uno más —respondo.

—Pusiste suficiente de esa mierda para volar toda la maldita calle. Déjalo y ven aquí. La puerta está atascada.

Salgo de debajo del camión y camino hacia la parte trasera donde Mikhail mantiene abierta la puerta de carga con la palanca.

—Mantenla así, buscaré a la chica —digo mientras enciendo la linterna de mi teléfono y salto al camión.

Camino alrededor de las cajas, moviéndolas mientras paso, pero no puedo ver a la chica.

—¿Está allí? —pregunta Mikhail.

—No puedo encontrarla. ¿Estás seguro de que ella es...? Hay algo en la esquina, pero no puedo ver qué es.

—Rodeo una pila de cajas y dirijo mi luz hacia abajo—. ¡*Oh*, mierda!

Muevo las cajas para poder acercarme y agacharme frente a un cuerpo acurrucado. La cara de la chica está oculta bajo su brazo extremadamente delgado. Una noche de hace ocho años surge en mi mente, y cierro los ojos tratando de suprimir las imágenes de otra chica, su delgado cuerpo cubierto de suciedad. El *flashback* pasa.

Extiendo la mano para comprobar el pulso de la chica, absolutamente seguro de que no lo encontraré, cuando se mueve y quita el brazo. Dos ojos imposiblemente oscuros, tan oscuros que se ven negros a la luz de mi teléfono, me miran.

—Está bien —susurro—. Estás a salvo.

La chica parpadea, luego tose, y esos magníficos ojos se ponen en blanco y se cierran. Se desmayó. Apoyo el teléfono en la caja a mi lado, la luz brilla sobre ella, y deslizo mis brazos debajo de su frágil cuerpo. Mi garganta se aprieta cuando la levanto.

Dios mío, no puede pesar más de noventa libras.

—¿Sergei? —Mikhail llama desde la puerta.

—¡La tengo! Mierda, está en mal estado. —Tomo mi teléfono, usándolo para iluminar el camino a través del laberinto de cajas, y la saco—. Te tengo —le digo al oído, luego miro a Mikhail—. Sostén esa puerta.

Salto del camión y me dirijo hacia el auto de Mikhail.

—Llamaré a Varya y le diré que traiga al médico. —Mikhail deja que la puerta del camión vuelva a caer—. Podemos reunirnos con ellos en la casa de seguridad.

—¡No! —bramo y acerco el pequeño cuerpo a mi pecho—. La llevaré a mi casa.

—¿Qué? ¿Estás loco?

Me detengo y me vuelvo hacia él.

—Dije que la llevaría conmigo.

Mikhail me mira, luego niega con la cabeza.

—Como sea. Métela en el auto, explota el camión y vámonos de aquí.

Abro la puerta y me meto en el asiento trasero, sosteniendo a la chica firmemente en mis brazos, luego me inclino y trato de escuchar su respiración. Es superficial, pero ella está viva. Por ahora.

—¿Listo? —Mikhail pregunta desde el asiento del conductor, aunque lo ignoro—. ¡Maldita sea, Sergei! Toma ese maldito control remoto y vuela el maldito camión de una vez.

Lo miro, debatiéndome si debo darle un golpe en la cabeza por interrumpirme, y decido no hacerlo. Esa esposa suya debe estar locamente enamorada de él y su personalidad malhumorada. Ella no estará feliz si él llega a casa con un bulto en un lado de la cabeza y la oreja destrozada.

Probablemente yo no terminaría en un estado mucho mejor. Mikhail es un hijo de puta fuerte. Una vez lo vi en una pelea con tres tipos de su tamaño. Fue entretenido de ver. No lo recuerdo con certeza, pero creo que fue el único que salió vivo de ese enfrentamiento. Me pregunto cómo perdió su ojo derecho, al instante en que su izquierdo se enfoca en mí en el espejo retrovisor. Sonrío, busco el control remoto en mi bolsillo y presiono el botón.

El *boom* épico resuena en la noche.

Angelina

Oscuridad. Solo oscuridad. De repente, una fuerte luz me ciega. Susurros. Luego, nada durante bastante tiempo.

Luz. Falta de gravedad. Más palabras en voz baja, sin embargo, no puedo descifrar su significado. Luz deslumbrante de nuevo. Perro ladrando. Voces. Tres hombres. Una mujer.

Me siento ligera de nuevo. Agua. Cálida. En mi cuerpo, y luego en mi cabello. Suspiro y siento que me alejo. El agua desaparece, y de repente tengo mucho frío. Temblando. Intento abrir los ojos, aunque no lo consigo. Algo suave y cálido envuelve mi cuerpo, luego de nuevo la ingravidez. Brazos, grandes y fuertes, acunándome. ¿Dónde estoy? ¿Quién me lleva a la deriva en las olas? ¿A dónde?

El balanceo se detiene, pero los brazos siguen ahí. Tengo frío otra vez, temblando una vez más. Los brazos se aprietan a mi alrededor y me atraen hacia algo cálido y sólido.

Susurro bajos. Femeninos. Luego, palabras tajantes y profundas. Enojado. Masculino. Los brazos se aprietan, acercándome aún más. Un pellizco en el dorso de mi mano. Un ligero dolor. Más palabras. Discutiendo. El lenguaje parece vagamente familiar. No es español, pero tampoco inglés. Se suponía que el camión iría a los italianos, sin embargo, no es italiano lo que escucho, ni siquiera se parece.

—¡*Idi na khuy*, Albert! —Una profunda voz masculina resuena junto a mi oído.

Mi sangre se hiela. ¿Cómo diablos terminé con los rusos? Mi ruso es básico ya que solo cursé un semestre, pero sé lo suficiente como para reconocer el idioma.

Intento abrir los ojos de nuevo, aunque es más difícil

que antes. ¿Me drogaron? Estoy perdiendo el conocimiento de nuevo, y lo último que recuerdo son palabras susurradas junto a mi oído y un aroma fresco a madera de colonia masculina. No debería dejarme llevar mientras estoy rodeado de estas personas, pero la voz profunda y relajante me arrulla y, por alguna razón, el sonido me hace sentir segura. Suspirando, entierro mi rostro en el duro pecho masculino y me duermo en los brazos del enemigo.

Muevo a la chica dormida para que su cabeza descanse sobre mi hombro y reacomodo la manta en la que la envolví. Concentrándome en su pálido rostro fantasmal, me recuesto en el sillón reclinable. Hay grandes círculos alrededor de sus ojos, y algunos mechones de cabello mojados y cortados de manera desigual pegados a su mejilla sobre el moretón amarillo y descolorido. Parece alguien que ha ido al infierno y ha vuelto.

—No puedes mantenerla aquí, mi muchacho —dice Varya, el ama de llaves de Roman—. Ella necesita atención médica.

—El doctor se quedará aquí esta noche. Puedes quedarte también si quieres. —Miro hacia arriba—. Ella no va a ninguna parte.

Varya niega con la cabeza y se vuelve hacia el médico.

—¿Qué tan grave es la condición de la chica?

—Deshidratación. Y los comienzos de neumonía. Le di una inyección de antibióticos. Dale estas pastillas todos los días hasta el martes. —Me entrega una botella de medicamentos y asiente hacia la bolsa de suero que sostiene Varya—. También necesitará otra bolsa de solución salina esta noche.

—¿Algo más?

—Probablemente dormirá hasta la mañana. Cuando se despierte, dale agua y algo de comer, pero mantén la comida ligera para el primer día. En general, es una mujer saludable, y esto —hace un gesto hacia la chica en mis brazos—, es reciente. Probablemente la mataron de hambre.

Mi cuerpo se queda quieto.

—¿Quieres decir que no tenía suficiente comida? —Miro al médico.

—Quiero decir que ella comió muy poco o nada durante los últimos cinco o seis días. Quizá más.

Una sensación de ardor se extiende por mi cuerpo, comenzando desde mi estómago y luego hacia afuera hasta que me engulle. La habitación a mi alrededor se oscurece y se transforma en un sótano oscuro, la única luz proviene de mi linterna. Hay cajas y muebles rotos esparcidos por todas partes. Y cuerpos, al menos diez chicas, sucias y delgadas, tiradas por doquier. Mi culpa. Todo es *mi culpa*. Si hubiera entrado antes en lugar de seguir órdenes, podría haberlas salvado. Les tomo el pulso, una por una, aunque sé que todas están muertas. Cada una tiene un gran punto rojo en el centro de la frente. Todas menos la última. Un gemido apenas audible sale de sus labios cuando presiono mi dedo en su cuello. Abre los ojos para mirarme y el pulso bajo mi dedo deja de latir.

—¿Sergei? —La voz de Varya me alcanza, aunque suena distante.

Cierro los ojos y respiro profundamente, tratando de bloquear la nueva ola de imágenes. Mi mano izquierda comienza a temblar. Mierda. Aprieto los dientes y aprieto los párpados con todas mis fuerzas.

—¡Mierda! ¡Varya, aléjate de él. Lentamente! —exclama Felix desde algún lugar a la derecha—. Todos afuera. Ahora.

Una respiración profunda. Luego otra. No ayudan. Se siente como si fuera a explotar. Escucho que la gente se va y la puerta se cierra, pero los sonidos se mezclan con un zumbido en mis oídos. La necesidad de destruir algo, cualquier cosa, me supera mientras la rabia sigue creciendo y creciendo dentro de mí.

La chica en mis brazos se mueve y mueve su cabeza hacia la izquierda, enterrando su rostro en mi cuello. Su aliento en mi piel se siente como alas de mariposa. El *flashback* se desvanece. Ella suspira, luego tose. Abro mis ojos y la miro, buscando signos de malestar, pero parece estar bien.

Me recuesto en el sillón reclinable para que se sienta más cómoda, tiro la manta sobre su hombro esquelético y noto que mi mano ha dejado de temblar. Echo la cabeza hacia atrás, miro al techo y escucho su respiración, luego trato de sincronizar mis respiraciones mucho más rápidas con las de ella. El cuerpo de la chica se contrae y vuelve a toser.

—Estás bien. Estás a salvo —susurro y aprieto mis brazos a su alrededor.

Musita algo que no puedo descifrar y coloca su mano sobre mi pecho, justo encima de mi corazón. Tan pequeña. Y tan delgada, maldición. Probablemente podría rodear ambas muñecas entre mi pulgar y mi índice. Extiendo la mano y presiono mi palma a un lado de su cuello, sintiendo el latido de su pulso bajo mis dedos. Ella es fuerte y saldrá adelante. La presión que se ha estado acumulando dentro de mí retrocede lentamente.

Vuelvo a mirarla a la cara, meto los mechones húmedos de su cabello detrás de la oreja y la observo. Incluso casi muerta de hambre, es hermosa. Sin embargo, no es su belleza lo que me llama la atención. Hay algo en las líneas de su rostro que me parece familiar. Tengo una memoria impecable y estoy cien por ciento seguro de que no la he conocido antes, al menos no en persona. Inclino la cabeza hacia un lado, examinando sus cejas negras, su nariz puntiaguda y sus labios carnosos. Tratando de imaginar cómo se veía antes de morir de hambre y pasar tres días en ese camión. Como si sintiera mi mirada, se mueve, y por un fugaz segundo sus ojos se abren y su mirada oscura y desenfocada se encuentra con la mía. Y lo recuerdo.

Capítulo Tres

Angelina

Algo húmedo aterriza en el dorso de mi mano y rueda entre mi pulgar y el índice. Jadeando. Un aliento caliente sopla en mi cara. Abro los ojos, parpadeo y al instante me quedo inmóvil. Trato de controlar el pánico que crece mientras miro más allá de un largo hocico, a dos ojos oscuros que me miran con interés. Lo más lentamente posible, me siento y me arrastro al otro lado de la cama hasta que mi espalda golpea la pared, manteniendo a la bestia a la vista. No tengo problemas con los perros, pero el que me mira tiene un tamaño más cercano a un pony pequeño que a un perro común.

El animal ladea la cabeza, luego se acuesta en el suelo y cierra los ojos. Unos momentos después, me llega un sonido de ronquidos profundos. Exhalo y miro a mi alrededor.

Estoy en el enorme dormitorio de alguien. Además de la cama, hay un gran armario de madera y un librero del piso al techo con dos sillones reclinables y una lámpara de pie delante. Una chaqueta de cuero y un casco de motocicleta descansan casualmente en uno de los sillones reclinables. La habitación tiene dos puertas, probablemente un baño y la salida. Y hay un accesorio extraño: una tabla de madera gruesa con una franja blanca pintada horizontalmente. Parpadeo varias veces y me concentro en la puerta junto a la extraña decoración. Tengo que salir de aquí.

Estoy bastante segura de que de alguna manera terminé con uno de los soldados de la *Bratva* rusa. Nadie más habría interceptado el cargamento de droga. Decir que mi padre no estaba en los mejores términos con los rusos sería quedarme corta. Si alguien aquí se entera de quién soy y de que Diego me busca, probablemente me entreguen a ese cabrón.

Necesito irme. Ahora.

Sin embargo, antes de que pueda intentar salir de aquí, necesito ir al baño, porque siento que mi vejiga va a estallar en cualquier momento. Me deslizo hacia el borde de la cama, lo más lejos posible del Cerbero dormido en el suelo. En el momento en que mis pies tocan el suelo, la cabeza del perro se levanta. Espero a que ataque, pero sigue observándome desde su lugar al lado de la cama. Lentamente, me pongo de pie y mi visión se vuelve borrosa. Cuando pasa el mareo, me dirijo con cuidado hacia la puerta de la derecha, apoyándome en el armario. Mis piernas tiemblan, y la habitación parece inclinarse ante mí, sin embargo, de alguna manera logro llegar a la puerta y agarrar la manija.

El perro emite un gruñido bajo, no exactamente un *gruñido*, pero sí una advertencia. Miro por encima del hombro y apunta su hocico hacia la otra puerta. Avanzo lentamente a lo largo de la pared hasta la otra puerta y alcanzo la manija, manteniendo un ojo en el perro. Recuesta su cabeza tan pronto como mi mano toca el mango. Qué extraño. Abro la puerta y, efectivamente, es el baño.

Después de vaciar mi vejiga, me acerco al lavabo y miro mi reflejo. Lo primero que noto es que estoy limpia. No hay manchas de suciedad en mi piel y mi cabello parece lavado. Alguien me bañó. También me pusieron ropa. Lo noté vagamente tan pronto como me desperté, pero no presté atención a lo que estaba usando en ese momento. Es ropa femenina, *shorts* rosas y una camiseta blanca con un personaje de dibujos animados en el frente. Los pantalones cortos me quedan bien, aunque la camisa me queda un poco apretada sobre mis pechos. Parece que la única grasa que queda en mi cuerpo está en mis senos.

Me echo un poco de agua en la cara, bebo un poco directamente del grifo y empiezo a abrir los armarios. Mataría por un cepillo de dientes porque siento la boca como papel de lija. Debe ser mi día de suerte. Encuentro una caja con dos sin usar debajo del lavabo. Cuando termino de cepillarme los dientes, salgo del baño y me dirijo a la otra puerta, sin embargo, en el momento en que doy un segundo paso en esa dirección, escucho un profundo gruñido. Me detengo y cesan. Excelente. Debería haber esperado eso. Pero ¿ahora qué?

Hay unos pocos pasos hasta la salida, no obstante, solo la mitad entre el perro y yo. Espero un par de minutos más, clavada en el sitio, luego doy otro paso, más rápido esta vez. La bestia ladra y se lanza hacia mí. Me tapo la cara con las manos y grito.

Se escucha alguien corriendo y la puerta se abre. No me atrevo a quitarme las manos de la cara, todavía esperando que el perro me ataque.

—¡Mimi! —ordena una voz profunda desde algún lugar frente a mí—. *Idi syuda.*

¿Mimi? ¿Quién en su sano juicio llamaría a esa cosa

Mimi? Separo mis dedos y entrecierro los ojos para echar un vistazo al dueño de la voz retumbante. Cuando lo hago, inmediatamente tropiezo varios pasos hacia atrás.

No me dejo intimidar fácilmente por los hombres. Al crecer en un recinto de un cártel de droga, tenía hombres de aspecto duro a mi alrededor desde que era una niña. Pero este... este hombre intimidaría a cualquiera.

El tipo parado en la puerta mide más de seis pies de altura y es muy musculoso. Sin embargo, no es voluminoso como se obtendría levantando pesas en el gimnasio y tomando suplementos. Su cuerpo debe haber sido perfeccionado a lo largo de los años. Cada músculo está divinamente definido y completamente a la vista ya que solo usa *jeans* desteñidos. Y por lo que puedo decir, también está completamente cubierto de tinta. Ambos brazos hasta las muñecas, el torso, todo el camino hasta la clavícula y, según las formas negras que puedo ver en sus hombros, sus tatuajes también deben continuar sobre su espalda.

Dejo que mi mirada se desplace hacia su rostro, que tiene líneas definidas. Su cabello es rubio pálido, creando una extraña combinación con su piel entintada. No obstante, la característica más intrigante son sus ojos, azul glaciar, claros y penetrantes, que me miran sin pestañear.

El aterrador ruso da un paso hacia mí. Grito y tomo dos hacia atrás.

—Está bien. No te voy a lastimar —dice en inglés y levanta las manos frente a él—. ¿Cómo te llamas?

¿Cuánto debo decirle? No sabe quién soy, gracias a Dios. Fui poco conocida en los negocios de mi padre, así que no es como si esperara que alguien de la *Bratva* rusa me reconociera.

Necesito mantenerlo así. Mierda. Debí haber pensado en esto y haber preparado una historia

—*¿Cómo te llamas?* —pregunta de nuevo, pero ahora en español; mas mantengo los labios cerrados.

Necesito algo de tiempo para pensar, así que miro a la perra que está sujetando por el collar y simulo concentrarme en ella.

—*¿Comment tu t'appelles?*

¿Francés? ¿Cuántos idiomas habla este tipo? Tendré que darle una respuesta pronto. ¿Debo dar mi nombre real? No es raro y más bien universal, mejor ir con la verdad que olvidar que nombre le doy.

Me decido por el inglés.

—Angelina. —Desde que terminé la escuela secundaria y asistí a la universidad en los EE. UU., no tengo acento. Y es más seguro.

El temblor en mis piernas está empeorando, y estoy un poco mareada de nuevo, así que pongo mi mano en la pared y cierro los ojos, esperando no desmayarme. La comida que Nana me dio, algo de fruta y algunos sándwiches, me ayudó a recuperar algo de mi fuerza, pero me comí lo último ayer por la mañana.

Siento un brazo alrededor de mi cintura y mis ojos se abren de golpe.

—De vuelta a la cama —dice el ruso en mi oído, coloca su otro brazo debajo de mis piernas y me levanta, llevándome hacia la cama.

Se siente familiar, su cercanía. No recuerdo mucho de lo que sucedió en las últimas veinticuatro horas, pero sí recuerdo sentir unos fuertes brazos sacándome de ese camión, y otra vez más tarde. Apoyo la cabeza en su hombro, más cerca de su cuello. *Déjà vu.* Cierro los ojos e inhalo su aroma, a madera y fresco. Familiar. Conozco este olor de anoche. Estaba delirando y sin darme cuenta de lo que pasaba a mi alrededor, pero recuerdo quedarme dormida con esto. ¿Es él quien me encontró?

Llegamos a la cama, aunque no me baja de inmediato. En cambio, solo me mira. Su cara está a solo a unas pulgadas de la mía. No parece tan aterrador de cerca sin toda esa tinta a la vista. De hecho, es bastante guapo con esos pómulos afilados y ojos claros. Lo único imperfecto de su rostro es su nariz, que está ligeramente torcida como si se la hubieran roto repetidas veces. Es extraño que no me moleste estar presionada contra su pecho desnudo de esta manera.

—¿Sabes dónde estás y cómo llegaste aquí, Angelina? —cuestiona y me baja a la cama.

Su pregunta me saca instantáneamente de mi ensoñación. Muevo mi mirada hacia la perra que yace en medio de la habitación, roncando. De ninguna manera le voy a decir la verdad, no obstante, necesito una historia creíble. Una que lo convenza de que soy una don nadie, así me dejará ir.

—Estaba de viaje —respondo, sin quitar la mirada de la perra—. Mochilera. Me secuestraron en las afueras de la Ciudad de México la semana pasada. —Listo. Eso suena creíble. La mayoría de las chicas que Diego tenía en el sótano venían a él de esa manera.

—¿Sola?

—Sí. —Asiento con la cabeza.

—¿Y qué pasó entonces?

—Me subieron a ese camión. No sé a dónde me llevaban antes de que me encontraras.

Hay un breve silencio, luego continúa:

—Estás en Chicago. ¿De dónde eres?

—Atlanta.

—¿Tienes familia en Atlanta?

—Sí. —Asiento con la cabeza—. Mi mamá y mi papá viven allí.

—Está bien. Voy a traerte algo de comer y luego puedes llamar a tus padres. ¿Suena bien?

Miro hacia arriba y lo encuentro observándome con los ojos entrecerrados.

—Sí, por favor —respondo.

Se da la vuelta para irse. Tal como pensé, su espalda también está cubierta de tatuajes. No me dio su nombre. No debería importar porque me iré pronto de todos modos, pero quiero saber.

—¿Cómo te llamas?

—Sergei. Sergei Belov. —Lanza las palabras sobre su hombro y se va al siguiente instante.

Miro la puerta que cerró mientras el pánico comienza a acumularse en mi estómago. Mierda. De toda la gente que me pudo haber encontrado...

Los rusos ya estaban haciendo negocios con Mendoza y Rivera, los jefes de los otros dos cárteles, cuando se acercaron a mi padre el año pasado con una oferta para colaborar. La *Bratva* también quería entrar en el cártel Sandoval. Mi padre los rechazó y luego se asoció con los irlandeses, que son los principales competidores de los rusos.

Recuerdo muy bien ese día. Yo acababa de regresar de los Estados Unidos y estaba esperando que mi padre regresara de la reunión con los rusos. Irrumpió en la casa, gritando y maldiciendo. Nunca había visto a mi padre gritar tanto. Cuando le pregunté qué pasó, me dijo que no le extrañaba que los rusos se llevaran bien con Mendoza porque estaban todos trastornados. No dio más detalles, pero más tarde ese día, escuché a los guardias hablar sobre cómo el ruso que vino a una reunión estaba completamente loco. El tipo envió a los cuatro guardaespaldas de mi padre al hospital cuando intentaron desarmarlo antes de dejarlo hablar con mi padre.

Ese ruso era Sergei Belov.

Tengo que salir de aquí lo antes posible.

Tomo la olla de sopa que Felix preparó, vierto una buena cantidad en un tazón y me dirijo hacia el refrigerador, llamando a Roman en el camino.

—La chica se despertó. —Alcanzo la botella de jugo. El doctor dijo que necesita tomar un poco de azúcar.

—¿Qué dijo ella?

—Su nombre es Angelina. No ofreció el apellido. Ella estaba viajando cuando los hombres de Diego la agarraron y la subieron a ese camión. Dice que es de Atlanta y que tiene familia allí.

—Suena como algo que Rivera haría.

—Sí. —Asiento y alcanzo el vaso—. Excepto que todo es mentira.

—¿Crees que está mintiendo?

—Sobre todo excepto su nombre.

—¿Por qué mentiría?

—Porque su nombre es Angelina Sofia Sandoval —digo—. Ella es la hija de Manny Sandoval, Roman.

—Me estás jodiendo.

—No. Tengo su foto en mi carpeta sobre Manny del año pasado. No la reconocí de inmediato. Su cabello es más corto ahora, y la foto era vieja, pero es ella.

Un torrente de maldiciones proviene del otro extremo de la línea.

—¿Qué diablos estaba haciendo escondida en el cargamento de los italianos? ¿Ella sabía que el camión iba a ser entregado a los albaneses?

—No tengo idea. —Me encojo de hombros, tomo el plato con la sopa y el jugo y voy hacia las escaleras.

—Déjala quedarse allí por ahora, y no la pierdas de vista hasta que averigüemos qué está pasando. Necesito concentrarme en los italianos ahora. Mikhail debería estar aquí en cualquier momento. Nos encargaremos del asunto de la princesa del cártel después de que la situación con Bruno Scardoni acabe.

—De acuerdo. —Me dirijo hacia arriba—. Pero deberías saber una cosa. Me la quedo, Roman.

—¿Qué? No te la vas a quedar. Ella no es una perra callejera que puedes reclamar como tuya.

—Por supuesto que puedo.

—¡Por Dios! —Hay un suspiro laborioso del otro lado. Puedo imaginar su reacción como si estuviera aquí frente a mí, presionando el puente de su nariz y sacudiendo la cabeza—. Sabes, no tengo la energía para lidiar con tu jodida visión de la realidad en este momento. Llámame si dice algo.

—Claro —miento. No tengo intención de compartir nada relacionado con Angelina con él porque planeo lidiar con mi pequeña mentirosa yo mismo.

Angelina

Tomo otra cucharada de sopa y lanzo una mirada a Sergei. Me observó todo el tiempo mientras comía el primer tazón, lo que tomó menos de dos minutos. Luego, bajó las escaleras y trajo más. Estoy en el tercero ahora, y todavía no ha dicho nada. Simplemente se sienta en el sillón reclinable cerca del librero y mantiene su mirada de buitre sobre mí.

¿Podría saber algo sobre mí? Si es así, probablemente ya me habría confrontado, así que supongo que estoy bien.

Dijo que me dejaría llamar a mis padres después de que terminara con la comida, y dado que ambos están muertos, planeo llamar a Regina, una amiga de la universidad. No tengo ropa, ni teléfono, ni documentos. Necesito dinero para poder comprar lo esencial e instalarme en un motel durante unos días. A partir de ahí, podré contactar a O'Neil para que me ayude con los documentos, porque sin ellos no puedo acceder a mis cuentas. No planeo volver a México, pero también necesito sacar a Nana Guadalupe de allí.

Dejo el plato con el tazón vacío en la mesita de noche, bebo el jugo y miro a Sergei. Agarró algo de ropa del armario antes de ir a buscarme más sopa y se puso una camisa blanca antes de regresar. Se ve bien en ella, y con sus tatuajes cubiertos, se ve menos brusco.

—¿Me prestas tu teléfono para llamar a mis padres ahora?

—Por supuesto. —Saca el teléfono de su bolsillo y me lo arroja.

Lo atrapo, digito el número de Regina y ruego a Dios que responda.

—¿Sí?

—Hola, mamá. Soy yo —digo—. Angelina.

—¿Mamá? —Ella se ríe—. ¿Has estado bebiendo?

—Estoy bien —respondo, ignorando su pregunta—. Sí, el viaje fue genial. Estoy en Chicago ahora.

—¿Chicago? Dijiste que te quedarías en casa al menos dos semanas. ¿Qué estás haciendo en Chicago?

—Sí, estoy con algunos amigos. Escucha, me robaron. Se llevaron mi dinero y mis documentos. Recordé que la tía Liliana vive aquí, ¿podrías enviarle algo de dinero para mí?

—¿Tía? ¿Te refieres a mi hermana? —Pasan unos segundos de silencio del otro lado—. ¿Qué está pasando? ¿Estás en peligro?

—Perfecto. Pasaré por su casa más tarde hoy. Gracias, mamá. Saluda a papá.

Corto la llamada y le devuelvo el teléfono a Sergei, que está recostado en el sillón reclinable, mirándome con una sonrisa apenas visible.

—¿Te robaron? —Levanta una ceja.

—Sí, yo... bueno, no podía decirle que me han secuestrado. Se moriría de preocupación. Le contaré todo cuando llegue a casa.

—Pareces estar muy serena para ser alguien que acaba de pasar por una experiencia traumática. ¿Te secuestran a menudo?

No, no diría a menudo. Solo dos veces hasta ahora, aunque no planeo compartir ese detalle. Tal vez debería haber llorado, pero bueno, ese barco ha zarpado.

—Yo... Soy muy buena funcionando bajo presión.

—En efecto. —Sonríe.

—Escucha —continúo—, estoy muy agradecida con ustedes, por sacarme de ese camión y salvarme, pero debería seguir mi camino. Mi mamá me enviará algo de dinero, así que te compensaré por la comida y la ropa. Me iré ahora. ¿Suena bien?

Sergei se levanta de su lugar, camina hacia la cama donde estoy sentada y se agacha frente a mí. Ladeando la cabeza hacia un lado, me mira y sacude la cabeza, sonriendo.

—Eres una terrible mentirosa.

Mis ojos se abren.

—¿Disculpa?

—Estás disculpada —asiente, luego extiende su mano y toma mi barbilla entre sus dedos—. Ahora, la verdad, por favor.

Respiro hondo y miro esos ojos azul pálido que están pegados a los míos, mientras su pulgar se mueve a lo largo de la línea de mi mandíbula. La piel de su mano es áspera, pero su toque es tan ligero que apenas lo noto. Su dedo llega al costado de mi mandíbula, justo sobre el moretón casi descolorido y se detiene allí.

—¿Quién te golpeó, Angelina?

Parpadeo. Es difícil concentrarse en otra cosa cuando está tan cerca, aunque de alguna manera me las arreglo para controlarme.

—Me caí.

—Te caíste. —Asiente con la cabeza y mueve su mirada hacia donde está su dedo, aún al lado del moretón—. ¿En el puño de alguien, tal vez?

—No. Yo tropecé. Sobre una de las cajas del camión.

Sus ojos encuentran los míos de nuevo y juro que mi corazón da un vuelco.

—¿Sabes cuánto tiempo se necesita para que un moretón adquiera ese bonito color verde amarillento, Angelina?

—¿Dos días? —murmuro. En realidad, nunca pensé en eso.

—De cinco a diez días. —Se inclina hacia adelante para que su cara esté justo frente a la mía—. Dime la verdad.

—Acabo de decírtela —susurro—. No estoy mintiendo.

—¿Está segura?

—Sí.

—Bien entonces. —Sus dedos sueltan mi barbilla. Sergei se endereza y se dirige a la puerta—. Las ventanas están cerradas y conectadas a la alarma. Por favor, no intentes romperlas —dice—. Mimi es una perra entrenada por militares, y estará frente a la puerta todo el tiempo, así que no te agobies tratando de escapar, porque te quedarás aquí hasta que empieces a decirme la verdad. Vendré a buscarte para el almuerzo.

Con esas palabras, sale de la habitación y cierra la puerta.

Mierda.

Paso casi una hora sentada en la cama, tratando de entender dónde lo jodí. Excepto por lo del moretón, mi historia era sólida. Traté de mantenerla lo más cerca posible de la verdad para hacerla más realista. ¿Cómo diablos me atrapó? El mayor problema es que no tengo idea de cuánto sabe.

Todo el mundo ha oído hablar de Sergei Belov, el negociador de la *Bratva* en todos los negocios relacionados con las drogas. Venía a México con bastante frecuencia. ¿Y si me reconoció de una de sus visitas? Aunque no veo cómo lo haría. No fui a México con la suficiente frecuencia como para que nuestros caminos se cruzaran. Y habría recordado haberlo visto.

Siempre he evitado las reuniones y fiestas de los cárteles porque por lo general acababan convirtiéndose en orgías o en las que le disparaban a alguien. *O ambas.* Prefería leer en el jardín o pasar el rato con Nana en la cocina. A papá le gustaba decir que yo era antisocial. No lo era. No lo soy. Siempre he sido... socialmente torpe.

¿Quizás Sergei escuchó a Regina reírse mientras hablábamos y se dio cuenta de que pretendía hablar con mi mamá? Aun así, sería mejor salir de aquí lo antes posible. Por si acaso.

Me levanto de la cama, cruzo la habitación y abro la puerta un poco. Mimi, la Cerbero, está durmiendo en el suelo al otro lado del umbral, pero su cabeza se levanta tan pronto como escucha la puerta. Grandioso. La cierro y me dirijo hacia las ventanas. Ambas bloqueadas. ¿Ahora qué?

Todavía estoy debatiendo qué debo intentar a continuación cuando escucho pasos acercándose rápidamente. Al momento siguiente, la puerta de la habitación se abre de golpe y Sergei irrumpe. No me presta atención, solo agarra el casco y la chaqueta de cuero del sillón reclinable y sale corriendo. Poco después, escucho un motor rugir afuera. Corro hacia la ventana justo a tiempo para verlo girar su enorme motocicleta deportiva hacia la calle a una velocidad increíble. Menos de cinco segundos después está fuera de mi vista. Corro hacia la puerta con la esperanza de que la perra deje su puesto de guardia, pero no. Todavía está allí. Maldita sea.

Aproximadamente dos horas después, llaman a la puerta y entra un hombre canoso con anteojos, que trae una bandeja con comida. Tiene entre sesenta y setenta años, tiene una barba bien recortada y viste una camisa azul claro con pantalones azul marino.

—Cambio de planes —dice, acercándose a la cama—. Sergei tuvo que irse, por lo que recibirás servicio a la habitación.

Coloca la bandeja en la mesita de noche, se gira y me ofrece su mano.

—Soy Felix.

Tomo sus dedos.

—Por favor, déjame salir de aquí. ¡Por favor! Sostén a la perra y me iré en un segundo.

—Lo lamento. —Coloca su otra mano sobre la mía—. No puedo hacer eso. E incluso si pudiera, Mimi no te dejaría salir de esta habitación. Ella solo escucha las órdenes de Sergei.

—¡Por favor!

—No tienes dinero. Ni siquiera tienes zapatos. Y pasaste la noche delirando por el hambre —expresa en voz baja—. Te desmayarías antes de llegar a la siguiente cuadra.

Suelto su mano y retrocedo. No era como si esperara que me ayudara a escapar, no obstante, tenía que intentarlo.

—¿Cuándo regresa Sergei? —pregunto. Tendré que razonar con él, obviamente.

—No lo sé. Pero le haré saber que quieres hablar con él cuando lo haga. —Él asiente hacia la bandeja—. El doctor dijo que solo deberías comer comida ligera durante el primer día, así que te preparé *risotto* con verduras y un poco de ensalada. También hay más de la sopa. Sergei dijo que te gustó.

—¿Eres el cocinero aquí?

No parece un cocinero. Parece un contador.

—El cocinero. Jardinero, también. Y como a Sergei le gusta llamarme, un mayordomo. —Sonríe—. Te dejaré comer ahora, pero volveré más tarde para darte tus antibióticos y traeré la cena. Si necesitas algo, abre la puerta y grita. Estaré abajo.

Estaciono la motocicleta frente a la entrada del hospital, entro y me dirijo hacia el mostrador de información.

—¿Pasillo C? —le grito al tipo detrás del escritorio.

—¿Puede decirme a quién está buscando, señor? necesito...

Lo agarro de la muñeca, tiro de él hacia mí y me pego a su cara.

—Pasillo. C.

—Primer piso. —Se ahoga—. Gire a la izquierda cuando salga del ascensor.

Suelto la mano del tipo y corro hacia el ascensor.

—¿Dónde está el bastardo gruñón? —inquiero en el momento en que giro la esquina y encuentro a Roman parado allí. La esposa de Mikhail está sentada en una de las sillas al final del pasillo, con las piernas cruzadas debajo de ella y la cabeza apoyada contra la pared.

—En el quirófano —responde Roman.

—¿Qué tan mal?

—Pulmón perforado.

Aprieto los dientes.

—¿Vivirá?

—No lo sé, Sergei. —Suspira y se pasa la mano por el cabello—. Vete a casa. Te avisaré en el momento en que tenga alguna información.

—¿Quién le disparó?

—Bruno Scardoni.

—¿El imbécil está muerto?

—Sí.

Mierda.

—Si alguien más estuvo involucrado, quiero la lista. Estoy libre este fin de semana.

—¿Libre para qué?

—¡Decapitar a todos y cada uno de ellos! —bramo y giro sobre mis talones, con la intención de regresar a casa. En cambio, termino dando vueltas por la ciudad hasta bien entrada la noche.

Angelina

No estoy segura de lo que me despierta, pero en el momento en que abro los ojos, sé que no estoy sola en la habitación. El reloj digital en la mesita de noche marca las dos de la mañana. Me siento en la cama y miro alrededor de la recámara. No lo noto al principio porque se confunde bien con la oscuridad. Lo único que lo delata es su cabello, atrapado por la luz de la luna que entra por la ventana.

—Lo siento si te desperté —dice Sergei desde su lugar en el sillón reclinable.

Dudo que haya sido él quien me despertó. Está sentado tan quieto que, si no supiera dónde mirar, no lo habría notado.

—¿No puedes dormir? —pregunto.

—No.

Parece relajado, pero hay algo en el tono de su voz que parece... mal de alguna manera.

—¿Por qué?

—Demasiada mierda en los últimos días.

—Deberías dejarme ir entonces. Una cosa menos de la que preocuparse.

—Lo haré. Cuando me digas la verdad.

Parpadeo.

—¿Qué verdad?

—¿Por qué estabas en el camión lleno de drogas que se envió a los albaneses, y por qué estabas medio muerta de hambre cuando te encontramos? —inquiere casualmente—. Podemos comenzar con por qué me mintió en primer lugar, señorita Sandoval.

Maldición. Cierro los ojos, tratando de dominar el aumento del pánico. Sabe quién soy, sin embargo, no parece que sepa que Diego me está buscando, así que no todo está perdido.

—¿Cómo sabes quién soy? Nunca nos hemos conocido.

—La *Bratva* siempre realiza una investigación exhaustiva de todos nuestros potenciales socios. Incluidos sus familiares. Ya no tiene sentido que sigas mintiendo.

Abro los ojos y lo encuentro observándome.

—¿Y ahora qué?

—Ahora dime qué estabas haciendo en ese camión.

Aparto la mirada. Ni porque esté ardiendo en el infierno puedo decirle la verdad. La *Bratva* hace negocios con Diego, así que me enviarán de regreso en el momento en que se enteren de que me está buscando. No voy a tomar ese riesgo.

—Fue personal. No debería preocuparte ni a ti ni a la *Bratva*.

—Todo lo que sucede en esta ciudad concierne a la *Bratva*. Especialmente cuando una princesa del cártel aterriza a mis pies, aparentemente de la nada.

—¿Fuiste tú quien me encontró? —cuestiono.

—Sí. —Se recuesta e inclina la cabeza hacia arriba, mirando al techo—. Mikhail y yo fuimos a interceptar el cargamento. La información que habíamos recibido era que habría una chica en el camión, así que te sacamos antes de hacerlo estallar.

—¿Hiciste explotar el camión lleno de drogas? ¿Por qué no simplemente tomarlo?

—*Pakhan* quería hacer una declaración. —Se encoge de hombros como si fuera completamente normal destruir productos por valor de varios millones de dólares solo para hacer una declaración.

—Una declaración bastante cara.

—Sí. Roman es un fanático de la teatralidad. —Me mira—. Le pediré a Nina que te envíe más ropa mañana.

—¿Nina? —¿Es la novia de Sergei? Miro hacia abajo a la camiseta que estoy usando. El hecho de estar vestida con la ropa de su novia no me sienta bien.

—La esposa de Roman —aclara.

—*Oh*. Dale las gracias de mi parte. —Me alegro de que no sean cosas de su novia—. Necesito que me dejes ir, Sergei. Por favor.

—Seguro. Tan pronto como me digas lo que necesito saber. —Aprieto los labios y me vuelvo a acostar, cubriéndome con la manta hasta la barbilla—. ¿Nada que compartir?

—No —murmuro.

—Cuando eso cambie, avísame y hablaremos sobre tu libertad.

Lo observo durante mucho tiempo mientras sigue sentado allí, mirando al techo en silencio, su cuerpo completamente inmóvil. He oído historias sobre él. A los hombres de mi padre les encantaba chismear, especialmente cuando se emborrachaban. Por lo que dijeron, tuve la impresión de que Sergei Belov era una especie de asesino demente, que andaba por ahí y mataba a la gente sin motivo alguno. Sin embargo, ahora que lo conozco, esa imagen no parece precisa. A mí no me parece loco. De hecho, actúa como un tipo bastante normal.

Tal vez podría tratar de seducirlo y luego escapar cuando su guardia esté baja. Sí, claro. Casi me río en voz alta al pensar en Angelina Sandoval, una *nerd* adicta a los libros y una chica rara local que se ha acostado con exactamente un hombre en sus veintidós años, convirtiéndose en una reina de la seducción. Se reiría de mí si lo intentara.

Dejo que mis ojos viajen por su cuerpo, notando la forma en que su ancho pecho y hombros tiran de la tela de la camiseta negra que lleva puesta, y detengo mi inspección en sus antebrazos. Gruesos, fuertes y torneados con músculos perfectamente formados. Algunas mujeres se sienten atraídas por el cabello o la boca de un hombre. Siempre he sido una chica de antebrazos.

Bostezo. ¿Espera que me duerma con él acechándome? Normalmente puedo dormirme en los lugares más extraños. De hecho, una vez me quedé dormida en un bar, apoyada en el hombro de Regina mientras un tipo intentaba convencerla de salir con él. Pero no creo que pueda dormir mientras un desconocido, a quien considero una amenaza, está sentado en la misma habitación. ¿Y si intenta algo? Aunque hubo suficientes oportunidades para que lo hiciera mientras yo estaba desmayada esa primera noche, y no lo hizo.

Mis párpados se están poniendo pesados, así que decido cerrarlos, pero solo por un momento. Porque no hay forma de que me permita dormirme con...

Me despierta el timbre de un teléfono. De hecho, me las arreglé para quedarme dormida mientras el soldado de la *Bratva* estaba en la misma habitación. La gente va a terapia cuando tiene problemas para dormir, pero parece que necesito ayuda para saber cuándo no dormirme. Todavía está parcialmente oscuro afuera, con el amanecer acercándose rápidamente. Me giro para mirar el sillón reclinable y encuentro a Sergei todavía sentado allí, sosteniendo el teléfono en su oreja. Escucha a la persona al otro lado del móvil y su cuerpo de repente se pone rígido, la expresión de su rostro cambia de levemente tensa a volátil. No dice nada, simplemente baja el aparato y lo mira como si quisiera romperlo.

—¿Malas noticias? —murmuro.

No responde, solo mantiene sus ojos en el teléfono con tanta malicia que me pregunto si la cosa arderá por la intensidad de su mirada.

No estoy segura de lo que está pasando, aunque está claro que algo sucedió y no es bueno. No debería importarme. Después de todo, el tipo me mantiene prisionera en su casa indefinidamente a menos que revele mis secretos. No obstante, me salvó la vida. Probablemente estaría muerta si él no me hubiera encontrado, o tal vez peor si hubiese sido otra persona.

Debería volver a dormir, pero no puedo. Así que, en contra de mi buen juicio, me levanto de la cama y camino lentamente hacia el sillón reclinable hasta que estoy justo frente a él.

—¿Estás bien? —pregunto. Nada—. ¿Sergei?

Aún nada. Él sigue mirando el receptor. Extiendo la mano y lo golpeo en el hombro con la punta de mi dedo.

Levanta la cabeza y empiezo a notar las cosas que me perdí desde la distancia. La forma en que aprieta la mandíbula, el ligero temblor de su mano izquierda y el sonido de su respiración, que es un poco más rápida de lo normal. Pero, sobre todo, me sorprenden sus ojos, que están desenfocados como si estuviera mirando a través de mí.

—¿Sí? —pregunta, su voz sonando... desprendida de alguna manera.

—¿Pasó algo?

Cierra los ojos por un segundo y respira hondo.

—Regresa a la cama. Me iré.

Hay algo mal. Simplemente no puedo precisar qué. Parece enojado y agitado, pero tratando de mantenerlo bajo control. Aparte de esos pequeños avisos, se ve perfectamente sereno.

Tiene razón. Debería volver a la cama. Lo que está pasando con él no es mi problema. No debería importarme. Entonces, ¿por qué lo hago? Me enfoco en sus ojos de nuevo. Sí, la mirada en ellos es realmente extraña.

—¿Estás meditando o algo así? —inquiero.

Parpadea, y podría estar equivocada porque todavía está bastante oscuro en la habitación, pero sus ojos parecen más enfocados ahora.

—No estoy meditando, maldición. —Niega con la cabeza—. Acabo de recibir una actualización sobre mi amigo que recibió un disparo ayer. El que estaba conmigo cuando te encontramos. Mikhail.

—*Oh*. —Probablemente por eso salió de la casa ayer por la mañana—. ¿Cómo está él?

—Mal.

—¿Saldrá adelante?

—Lo llevaron a cirugía nuevamente. Tiene una hemorragia interna.

—¿Ustedes dos son cercanos? —Coloco mi palma sobre su mano izquierda y la rozo ligeramente. Sus ojos ahora están fijos en mí, y el temblor de la mano debajo de la mía parece detenerse.

—No realmente —dice—. Pero lo mataré si se muere.

Siento que las comisuras de mis labios se curvan ligeramente. Está regresando de donde sea que haya ido antes.

—En ese caso, probablemente se asegurará de seguir con vida.

Sin romper nuestro contacto visual, Sergei desliza su mano debajo de la mía y envuelve sus dedos alrededor de mi muñeca.

—¿Quién te mató de hambre? —interroga inclinándose hacia mí.

—Yo lo hice —replico—. Estaba en huelga de hambre.

—¿Por qué?

Inclino la cabeza ligeramente para que nuestras narices casi se toquen y miren esos ojos claros.

—No puedo decírtelo.

Sus labios se ensanchan.

—Lo averiguaré, *lisichka.*

—*¿Lisichka?* —Levanto una ceja. No conozco esa palabra.

—Zorrita. —Toma mi barbilla entre sus dedos—. Apropiado, ¿no crees?

—No precisamente.

Sonríe, niega con la cabeza y se levanta del sillón reclinable. Había olvidado lo alto que es

—Sí, creo que es perfecto. —Me roza la barbilla con el pulgar, luego se da vuelta y se dirige hacia la puerta—. Vuelve a dormir, mi pequeña mentirosa.

Roman llama alrededor del mediodía para decirme que Mikhail ya no está en cirugía y que debería estar bien. Me recuesto en el sofá de la sala poco después. Rara vez puedo dormir durante el día, pero mi cerebro finalmente recibió la orden de mi cuerpo, que estuvo operando con solo un par de horas de sueño en los últimos tres días. Cuando me despierto, ya son cerca de las cuatro.

—Tienes que dejar que esa chica salga de tu habitación. Allí se enmohecerá —dice Felix, pasando junto a mí, y golpeándome en el hombro con un trapo de cocina—. Y si planeas mantenerla aquí, tendrás que conseguirle algo de ropa. Aparte de la de Nina. Y zapatos.

—Mierda. —Me siento y me paso la mano por el cabello—. ¿Dónde puedo conseguir ropa para mujer?

—En una de esas cosas que se llaman tiendas. Puedes encontrar muchas dentro de los grandes edificios conocidos como centros comerciales.

—Qué comediante. —Me levanto—. ¿Qué tal si vas a comprar algunas cosas para ella?

—Por supuesto que no. Ella es tu *prisionera,* así que eres *tú* quien debe vestirla y alimentarla. Y yo ya la estoy alimentando.

—Está bien, bueno. Iré enseguida. Tengo una reunión con Shevchenko más tarde.

—Pensé que Shevchenko dijo que ya no quería hablar de negocios contigo. Desde que trataste de cortarle la mano y todo eso.

—Está exagerando —expreso por encima del hombro mientras busco mi casco.

—Entonces, ¿no intentaste cortarle la mano?

—Por supuesto que lo hice. —Me muevo a través de la manta que ha sido colocada al azar sobre el sofá—. ¿Le llevaste el almuerzo a Angelina?

—No. Iré a buscarla y le daré el almuerzo en la cocina. Ella necesita estirar las piernas. Pero debes llamar a Mimi para que pueda salir de la habitación.

—Asegúrate de que no se escape. —Le silbo a mi perra guardiana y Mimi baja las escaleras—. Y no te olvides de darme la información que te pedí. Necesito todo lo que puedas encontrar sobre ella. —Miro alrededor de la habitación—. ¿Dónde diablos está mi casco?

—En el comedor —indica Felix y continúa limpiando el televisor.

—¿Por qué estás haciendo eso? Es el trabajo de Marlene. ¿Dónde está ella?

—Está enojada porque cancelé nuestra cita porque tenía que hacer de carcelero. Me dijo que se tomará el resto de la semana libre.

—Marlene es mi ama de llaves. No puede decirte que se va a tomar una semana libre.

Se vuelve hacia mí con las manos en la cadera y me clava la mirada.

—Estoy haciendo el trabajo, así que no importa, ¿verdad?

—Funciona para mí. —Levanto mis manos en defensa—. Ya me voy.

Me detengo en medio de la tienda y me doy la vuelta, mirando los interminables estantes de ropa femenina. Mierda. ¿Por dónde empiezo?

—¿Necesita ayuda? —inquiere una empleada de la tienda, parándose a mi lado.

—Sí. Por favor.

—Está bien. —Se ríe—. ¿Qué necesita? ¿Un regalo?

—Necesito de todo —explico.

—¿Todo?

—Sí. Una amiga se está quedando conmigo y perdió su equipaje. Ella necesita todo.

—No hay problema. ¿Qué talla?

Miro a la dama, quien probablemente piensa que soy un idiota.

—Un poco más de cinco pies más o menos. Alrededor de noventa libras. ¿Eso ayuda?

—¿Zapatos también?

—Sí. Tendré que preguntar el tamaño para eso.

—Seguro. ¿Quiere elegir?, ¿o quiere que lo haga por usted?

Miro todos los estantes y me estremezco.

—Usted escoja. *Jeans,* camisetas, una chaqueta. Cosas casuales.

—Perfecto. ¿Cuántos de cada uno?

—Digamos para un mes.

—¿Calcetines, ropa interior? Necesitaré la talla de sostén.

—*Mmmm*. ¿Mediana?

Ella se ríe y niega con la cabeza.

—Que sean sostenes deportivos. Esos son elásticos.

—Sí, eso funcionará.

—Perfecto. Empezaré a escoger sus cosas. Puede esperar allí, o puede ir a la tienda de al lado y comprarle algunos cosméticos si los necesita.

—Eso haré. Por favor, asegúrese de elegir cosas buenas. Sin límite de presupuesto.

Le envío un mensaje a Felix, preguntándole por la talla de zapatos de Angelina, y me dirijo a la tienda de al lado. Cuando le digo a la asistente lo que necesito, comienza a hacerme preguntas sobre el tipo de piel y cabello, como si supusiera que yo se esa mierda. Así que solo le digo que me dé uno de cada uno.

Treinta minutos después, me encuentro de pie junto a mi motocicleta con docenas de bolsas en las manos. Debería haber traído el auto, pero no pensé en eso. Termino llamando a un taxi para que lleve las bolsas y regresar a casa.

Capítulo cinco

Angelina

—Esto está delicioso. —Señalo las albóndigas en mi plato y me meto otra en la boca.

—Por fin, alguien que aprecia lo que hago aquí —se queja Felix y sigue sacando los platos del lavavajillas.

Aprovecho la oportunidad para mirar alrededor. La cocina es bastante grande, con una mesa de comedor junto a la ventana del lado izquierdo. Sin embargo, la casa en sí no es tan grande. Dos dormitorios en la planta superior y una enorme sala y cocina en la planta baja. Es un lugar agradable con muebles nuevos y modernos, y parece habitado. Una cosa que encuentro extraña es que no hay fotos de ningún tipo. En ningún lugar.

—¿Vives aquí? —pregunto.

—En el apartamento de encima del garaje.

—Bien. —Miro por encima del hombro hacia la puerta principal, calculando la distancia. Felix parece bastante en forma, pero es viejo. Dudo que sea capaz de detenerme si puedo agarrarlo desprevenido. Si la puerta está abierta, debería poder escabullirme.

—No lo hagas —señala Felix, y mi cabeza vuelve a él.

—¿Qué?

—Mimi te atrapará antes de que llegues a la puerta. —Asiente con la cabeza hacia la sala de estar donde la perra duerme en el suelo junto al sofá.

—No estaba planeando hacer nada. —Finjo inocencia.

—Sí, claro. —Guarda el plato, se vuelve hacia mí y se apoya en la encimera—. ¿Por qué no le dices a Sergei lo que necesita saber, para que te deje ir?

—Tengo mis razones. —Vuelvo a comer—. ¿Cómo está su amigo? El que recibió un disparo.

—Estará bien —expone Felix y cruza los brazos frente a su pecho—. ¿Cómo sabes sobre Mikhail?

—Sergei me lo dijo anoche. Alguien lo llamó para decirle que no estaba bien. Sergei se molestó.

—¿Se molestó?

—Sí. Estaba ido. Fue extraño. —Me encojo de hombros y alcanzo la ensalada. Felix se acerca, agarra mi silla y la gira hacia él.

—Ido... ¿cómo? —Se inclina sobre mí y lo miro fijamente. Se fue el viejo gruñón pero divertido de hace unos segundos, y en su lugar está un hombre muy serio y visiblemente alarmado.

—No sé. Simplemente se sentó allí muy quieto. Sus ojos parecían extraños, como si me estuviera mirando sin verme realmente —agrego—. Su mano comenzó a temblar.

Felix cierra los ojos y maldice.

—¿Y luego?

—Me acerqué a él, pero parecía que no me había reconocido, así que lo toqué y eso llamó su atención.

—Tú... ¿Lo tocaste? —Los ojos de Felix se abren de golpe.

—Sí, con mi dedo. De esta forma. —Toco su hombro suavemente—. Pareció ayudar. Se recuperó después de unos minutos, me llamó zorrita y se fue.

—¿Y eso fue todo?

—Sí, más o menos. ¿Por qué?

Felix no dice nada, solo me mira unos segundos. Luego, saca la silla a su lado, se sienta y se inclina hacia mí. Sigue sin hablar. ¿Hice algo que no debía?

—¿Hay algo... malo con Sergei? —pregunto.

—Sí —dice finalmente—. A veces procesa las cosas de manera diferente. Y sus puntos de vista sobre lo que debería ser una respuesta lógica a una determinada situación difieren de las tuyas o las mías.

—¿Cómo es eso? —Frunzo el ceño.

—Digamos que estás esperando en una fila para comprar un café, y un hombre detrás de ti trata de quitarte la billetera. ¿Qué harías?

—No sé. ¿Golpearlo en la cabeza con mi bolso? ¿Llamar a la policía?

—Sergei le rompería el cuello, volvería a la fila y pediría un capuchino cuando llegara su turno.

Parpadeo.

—Él... no parece una persona violenta.

—Sergei no es naturalmente violento. Nunca atacaría a nadie en circunstancias normales. Nunca tocaría a un niño. O a una mujer, a menos que sea una amenaza. Si una anciana está cruzando una calle, él se acercará para ayudarla. Si un gato se queda atascado en un árbol, se trepará y rescatará al gato.

—No entiendo.

—A menos que lo provoquen, su comportamiento está completamente alineado con lo que se considera socialmente aceptable.

—¿Y cuando es provocado?

—Cuando provocan a Sergei, la gente muere, Angelina. Es por eso por lo que, si lo encuentras ido de nuevo, como dices, deberías mantenerte alejada.

Lo miro fijamente, encontrando difícil de creer que la persona que está describiendo sea el hombre que tan tiernamente rozó mi mejilla exigiendo saber quién me lastimó.

—Pero él no me hizo nada. Solo... hablamos y volvió a la normalidad.

—Lo cual es muy sorprendente. —Felix asiente—. Aun así, no deberías hacer eso de nuevo.

—Está bien.

—Otra cosa. Si lo encuentras dormido, bajo ninguna circunstancia te acerques a él. Da la vuelta y sal de la habitación inmediatamente.

Qué extraña petición.

—¿Por qué?

—No importa. Solo haz lo que te digo.

—Está bien. —Asiento con la cabeza y amontono más puré de papas en mi plato.

No hay manera de que me crea esta mierda. Está exagerando, probablemente tratando de asustarme para que suelte la sopa. Sí, Sergei actuó de manera extraña anoche y tiene reputación de ser un tipo un poco inestable, no obstante, nadie es normal en nuestro mundo.

Escucho que se abre la puerta principal y me doy vuelta para ver entrar al objeto de mis pensamientos, con un casco bajo el brazo.

—Pensé que habías ido de compras —señala Felix desde el fregadero—. ¿Dónde está la ropa que trajiste?

—Llegando en taxi. Le dije al tipo que trajera las bolsas a la puerta.

Sergei tira el casco en el sofá, se quita la chaqueta y camina hacia la cocina. Cuando pasa junto a mi silla, extiende su mano y roza suavemente mi brazo con la palma, poniéndome la piel de gallina donde se toca nuestra piel. Y no es un mal tipo de piel de gallina.

—¿Qué hay de comer? Estoy hambriento. —Se sienta en la silla junto a la mía y mira la olla en el centro de la mesa—. ¿Albóndigas otra vez? Por Dios. Te inscribiré en un curso de cocina la próxima semana.

—Si tiene quejas sobre mi cocina, siéntete en la libertad de comenzar a preparar la comida tú mismo.

Sergei suspira y comienza a apilar la comida en un plato. Cuando termina, baja la mirada a su comida, maldice y come. Obviamente no está satisfecho con lo que preparó Felix, pero no lo veo entrar en una ira asesina o lo que sea. Como sospechaba, Felix estaba exagerando.

La perra de Sergei entra desde la sala de estar, se detiene a su lado y comienza a tocarle las costillas con el hocico.

—¡Maldita sea, Mimi! Estoy tratando de comer. —Mueve la cabeza de la perra con la mano, pero lo hace con cariño.

—¿De qué raza es ella? —pregunto. Creo que nunca había visto una perra tan grande.

—Cane corso —dice entre dos bocados—. Voy a

sacarla a pasear después del almuerzo. ¿Quieres venir con nosotros?

No es una mala idea. Necesito checar el área por si logro escabullirme en algún momento.

—Seguro.

Acabamos de terminar con el almuerzo cuando suena el timbre.

—Son tus cosas —agrega y se vuelve hacia Felix—. ¿Puedes recibirlo?

—No.

Sergei gruñe algo en ruso y se pone de pie.

—Albert tuvo una pelea con su novia ayer, así que está de mal humor.

—¿Albert?

—¡Ese soy yo! —grita Felix por encima del hombro—. La versión de Sergei de una broma de Batman. Cree que es ingenioso.

Levanto mis cejas.

—¿No era Alfred? ¿En la película?

—Sí, pero él dice que Alfred suena aristocrático y yo no soy lo suficientemente sofisticado para eso. Así que lo cambió a Albert.

—*Oh,* bueno... eso tiene sentido, supongo. —Niego con la cabeza en confusión. Esos dos tienen una relación realmente extraña. Me giro para ver a Sergei tomando un montón de bolsas del porche y llevándolas hacia las escaleras. Hay al menos veinte de ellas.

—¿Qué es eso? —curioseo.

—Probablemente las cosas que compró para ti. Parece que se dejó llevar un poco.

Lentamente me giro y miro a Felix, alias "Albert".

—¿Cuánto tiempo tiene la intención de mantenerme aquí?

—Me temo que tendrás que discutir eso con Sergei.

Me levanto de la mesa, llevo el plato al fregadero y luego subo corriendo las escaleras para hacer precisamente eso. Solo veo un montón de bolsas tiradas por toda la cama y Sergei no está por ninguna parte. Me pregunto si debería revisar la otra habitación que noté en este piso cuando escucho el sonido del agua corriendo proveniente del baño a mi derecha.

Me dirijo a la puerta y llamo dos veces.

—¿Sergei?

No responde, así que pruebo la manija y encuentro la puerta abierta. Sin pensar realmente en lo que estoy haciendo, abro la puerta. Y me quedo boquiabierta.

Sergei está de pie en la ducha mientras riachuelos de agua fluyen por su cuerpo desnudo. Está de espaldas a mí, con la cabeza inclinada hacia el torrente. Sigo el rastro de agua con mis ojos, desde sus anchos hombros, bajando por su musculosa espalda tatuada y luego me detengo. ¡Maldita sea! Tiene el trasero más magnífico que he visto en un hombre. Debería alejarme, cerrar la puerta y fingir que no lo vi. En cambio, sigo mirando.

—Está sonrojada, señorita Sandoval.

Trago saliva y miro hacia arriba para encontrarme con los ojos azules de Sergei mirándome por encima del hombro. Mientras lo miro, desliza la puerta de la regadera hacia un lado, sale y me alcanza con unos cuantos pasos. Encuentro difícil mantener mi mirada enfocada en su rostro en lugar de dejar que mis ojos vaguen hacia abajo, pero de alguna manera lo logro.

—¿Cuánto tiempo planeas mantenerme prisionera? —indago, tratando de fingir que no me perturba el hecho de que él está parado frente a mí completamente desnudo. Es toda una hazaña. Lo agregaré a mi currículum debajo de *otros logros.*

—Hasta que empieces a hablar —indica y coloca sus manos en la puerta, atrapándome contra ella—.Y eso ya lo sabes.

—No puedes simplemente mantenerme aquí. Tengo una vida.

—Dime lo que necesito saber, y eres libre de irte.

Mi concentración falla y mis ojos se deslizan por su frente, y cuando llego a su entrepierna, mis cejas tocan la línea de mi cabello. Su miembro está en absoluta proporción con su cuerpo. Enorme. Rápidamente vuelvo a levantar la cabeza.

—Te dije todo lo que pude —digo, pero suena más como un chillido.

—Entonces espero que te guste aquí, *lisichka.* —Sergei sonríe y se da vuelta para agarrar una pila de ropa que está al lado del lavabo, dándome otra vista de su trasero desnudo y duro como una roca.

Finalmente, mi sentido común entra en acción, doy la vuelta y me dirijo hacia la cama, fingiendo estar absorta revisando todo lo que hay en las bolsas.

—Voy a sacar a caminar a Mimi —informa Sergei unos minutos después cuando sale del baño. Vestido esta vez. Gracias a Dios. O... Lástima—. ¿Vienes?

—Claro.

Miro a Angelina, que camina a mi lado, y apenas logro reprimir una carcajada. Ha estado fingiendo desinterés, pero ha estado inspeccionando el vecindario mientras paseábamos. La zorrita está planeando su ruta de escape. Es muy gracioso.

Delante de nosotros, Mimi ladra y corre hacia el jardín de la anciana Maggie, probablemente planeando sacar más de sus flores. Ha estado obsesionada con esas flores desde el año pasado.

—¡Mimi, *idi syuda*!

Mimi mira las flores con pesar, luego trota hacia nosotros. Casi nos alcanza cuando se da cuenta de que una pareja pasea un *rottweiler* por la calle y al instante se pone en alerta. Me apresuro hacia ella para asegurarme de que no atacará lo que podría considerar una amenaza y, al mismo tiempo, Angelina se da la vuelta y empieza a correr. Me río. No le tomó mucho tiempo.

Me detengo al lado de Mimi, la tomo del cuello y observo a Angelina por unos segundos. Está haciendo todo lo posible, aunque es lenta. Probablemente todavía débil por falta de alimentación. Señalo con la mano a Angelina, dándole a Mimi la orden de *proteger,* y cruzo los brazos sobre el pecho.

Mimi corre hacia Angelina a gran velocidad y, a mitad de camino, comienza a hacer un amplio círculo para interceptarla. Angelina cambia de rumbo, virando a la derecha, pero Mimi sigue corriendo unos metros por delante de ella, divirtiéndose. Mi zorrita se da cuenta de que no irá a ninguna parte y de repente se detiene, se vuelve hacia mí con las manos apretadas en pequeños puños y me mira.

—Ella me está arreando como ganado —se queja cuando me acerco.

—*Ella* te está protegiendo.

—Como si fuera una vaca.

—Sí. —Me inclino y la agarro por la cintura, luego la pongo sobre mi hombro—. Aquí termina el episodio de hoy de fuga de la prisión.

—Bájame.

—No. —Golpeo ligeramente su trasero con la palma de mi mano, luego decido dejarla ahí. Puede que sea flaca, pero su trasero es agradable y redondo.

—¡Eso se llama acoso sexual! —espeta Angelina—. ¡Quita tu garra de mi trasero!

—¿Y cómo llamarías escabullirte en el baño mientras me estaba duchando?

—No me escabullí. Solo quería hablar.

—Me estabas comiendo con los ojos. Solo te estoy correspondiendo. —Toco su dulce trasero de nuevo y camino casualmente por el parque hacia mi casa, saludando a una madre que aparta a sus hijos de la escena.

—En el momento en que esté fuera de tus garras, te reportaré a la policía.

—¿Por qué motivo?

—Secuestro. Por mantenerme como rehén en tu casa. Y acoso sexual.

—Estoy seguro de que la policía estaría encantada de charlar con la hija de Manuel Sandoval. —Aprieto su nalga ligeramente, provocando el más adorable jadeo de sorpresa.

Angelina me golpea la espalda con la palma de la mano y me río. Estaba un poco asustada el primer día, aunque parece que ya no me tiene miedo. La gente siempre desconfía de mí, así que esto es bastante inesperado. Se siente bien.

—Tengo que ir a una reunión esta noche —aviso, ignorando sus protestas—. Por favor, suspende cualquier otro intento de escape hasta que regrese. Albert es demasiado viejo para perseguirte. Podría tener un ataque al corazón, ¿y quién cocinaría para mí entonces?

—Tomaré tu solicitud en consideración.

—Gracias.

—¿Puedo conseguir una *laptop* o algo por el estilo?

—Buen intento. —Me río—. Ninguna *laptop*. Pero puedes pedirle a Albert que juegue póquer contigo. Sin embargo, te advierto: él hace trampa.

—¿Trampa? Tiene setenta.

—Exactamente. Es muy bueno haciendo trampa.

Arquea el cuello y me mira.

—¿Cuánto le pagas?

—Nada. He estado tratando de deshacerme de él durante años.

—No estoy segura de entender.

Suspiro y la dejo en el porche.

—Albert y yo nos conocemos desde hace mucho tiempo. Trabajamos juntos durante un largo periodo.

—¿Antes de que te unieras a la *Bratva*?

—Sí.

—¿Y qué hicieron ustedes dos juntos?

—Lo siento. No puedo decirte eso.

—¿Por qué? ¿Era algo confidencial?

Bajo la mirada hacia ella, encontrando sus ojos oscuros observándome con una pregunta en ellos. Ella nació en esta vida, por lo que probablemente haya visto su parte de mierda desagradable, pero sus ojos parecen tan inocentes.

—Sí —respondo y trazo una de sus perfectas cejas oscuras con un dedo—. Y porque no quieres saber. Confía en mí.

—¿Cómo puede ser peor que trabajar para la *Bratva*?

—Lo es. —Coloco mi mano libre en la barandilla junto a la de ella y me inclino hasta que nuestras caras están al mismo nivel. Los ojos de Angelina se agrandan, aunque no se aleja. Estamos tan cerca que puedo sentir su aliento abanicando mi cara mientras su respiración se acelera. Lentamente, muevo mi dedo sobre su mejilla y a lo largo de su cuello, luego hago una pausa cuando llego al lugar donde late su pulso. Es fuerte. Más rápido de lo normal—. No más intentos de huir hoy —susurro.

—Está bien —asiente, sin apartar sus ojos de los míos.

Muevo mi mano por su esbelto brazo, bajándola sobre su cadera, y la presiono contra el costado de su muslo, sobre la cicatriz larga y gruesa que noté mientras la cargaba.

—¿Quién te hizo esto?

La respiración de Angelina se acelera.

—Me caí de un árbol.

Aprieto los dientes. Realmente debería dejar de mentir, definitivamente no es su fuerte. Dejo caer mi mano de su pierna y le silbo a Mimi.

—Vamos. Tengo que cambiarme antes de ir a esa reunión.

Shevchenko está retrasado, como de costumbre. Tomo el agua mineral que trajo el mesero y observo el club vacío. Todavía es temprano, la gente no llegará a Ural hasta dentro de al menos un par de horas. Prefiero hacer negocios en uno de los almacenes, pero Shevchenko insistió en un lugar más público esta vez. Probablemente se asustó la última vez que nos vimos. Cobarde. Me recuesto en la cabina y llamo a Felix.

—¿Qué ocurre? —pregunta tan pronto como contesta la llamada.

—Nada.

—Rara vez dices nada, Sergei.

—Me preguntaba qué está haciendo Angelina.

—Cenamos y la llevé a tu habitación.

—¿Está Mimi frente a la puerta?

—No, ella está en la sala de estar, donde la dejaste.

—Ve a la sala de estar y ponme en altavoz.

—¿Qué soy yo? ¿Tu secretaria? —revira.

—Deja de quejarte y hazlo.

—Bien. —Hay unos momentos de silencio—. Listo.

—Mimi —ordeno al teléfono y la escucho ladrar una vez—. Angelina. *¡Okhraniay!*

—Ella subió las escaleras —reporta Felix—. ¿Es por eso por lo que llamaste?

Nop. Llamé porque a pesar de que me fui de mi casa hace apenas una hora, no puedo dejar de pensar en la zorrita que dejé allí.

—¿Le gustaron las cosas que compré?

—¿Por qué importaría eso?

—Solo estoy preguntando. —Me encojo de hombros a pesar de que no me ve.

—¿Qué diablos crees que estás haciendo con esta chica, Sergei? No conocemos sus intenciones. Por lo general, la hija de un narcotraficante mexicano no termina como parte del cargamento de drogas.

—No estoy seguro de lo que estás insinuando.

—¿En serio? Déjame iluminarte. ¿Recuerdas a Dasha?

Mi cuerpo se queda petrificado.

—Angelina no es una espía.

—¿Estás seguro de eso?

—No es una agente encubierta, Felix. Ella es... demasiado inocente para eso.

—Todos parecen inocentes. Hasta que intentan cortarte el cuello mientras duermes. Ten en cuenta a tu difunta esposa antes de siquiera pensar en enredarte con esta chica.

—¡Angelina no es Dasha! —grito.

—Ella habla ruso, Sergei.

Me siento más derecho.

—¿Qué?

—Revisé sus antecedentes. Estudió lenguas y literatura. Se especializó en inglés e italiano, aunque también tomó cursos de francés y ruso. Qué conveniente, ¿no?

—Es una coincidencia. —Termino la llamada.

El camarero viene a preguntarme si quiero algo más, pero niego con la cabeza y me concentro en la entrada al otro lado del club. ¿Podría ser solo una coincidencia?

Entra un grupo de hombres. Dos tipos con trajes oscuros caminan frente a un tercero, ocultándolo parcialmente de la vista, y ambos escanean los alrededores. Shevchenko y sus guardaespaldas. Parece que está tratando de hacer una declaración trayendo solo a dos hombres con él. El maldito bastardo generalmente tiene al menos cinco tipos a cuestas, lo cual no es tan extraño dado que necesitaría varias personas para cubrir su enorme cuerpo si algo se va a la mierda. Es casi tan grande como Igor, el cocinero de Roman, y eso no es un logro fácil.

Me ven y se dirigen hacia la cabina. Solo entonces noto a una chica que Shevchenko tiene con él. Al bastardo definitivamente le gustan jóvenes. La chica no puede tener más de dieciocho años.

Los guardaespaldas suben primero los dos escalones hasta la mesa y se hacen a un lado. Shevchenko los sigue, arrastrando a la pobre chica con él.

—Belov. —Él asiente y toma asiento, empujando a la chica para que se siente en su regazo.

—Llegas tarde —digo, manteniendo mi enfoque en la chica. Me equivoqué, no puede tener más de dieciséis años, y en base a la mirada aterrorizada en sus ojos, ella no está aquí por su voluntad.

—Tuve una reunión con O'Neil. Quería hablar de una sociedad.

—¿En serio? —Me recuesto y muevo mi atención a Shevchenko, pero sigo mirando a la chica con el rabillo del ojo—. ¿Y qué tenía que ofrecer Liam?

—El mismo producto. Dijo que está en medio de negociaciones con Diego Rivera y debería poder entregar las cantidades que necesitamos a partir del próximo mes.

—Tomamos el setenta por ciento de las drogas de Rivera. No hay forma de que Liam pueda igualar ni las cantidades ni el precio.

—Bueno, dijo que eso cambiará pronto. —Shevchenko toma la botella de *whiskey* que trajo el mesero, llena su vaso hasta el borde y lo bebe de un sorbo. Sirve otra ronda, luego coloca su mano carnosa sobre el muslo desnudo de la chica, apretándolo. La chica se estremece y rápidamente junta las piernas, sin embargo, Shevchenko las abre con fuerza y comienza a mover su mano hacia arriba, debajo del dobladillo de su vestido corto. La chica aprieta sus ojos.

Miro a los guardaespaldas de Shevchenko, luego muevo mi mirada a la botella de licor en la mesa. Eso servirá.

—Estoy muy emocionado de ver cómo los irlandeses planean lograr eso. —Me inclino hacia adelante, agarro la botella y la estrello contra el borde de la mesa.

La chica grita mientras los guardaespaldas sacan sus armas y se vuelven hacia la cabina, pero es demasiado tarde. Ya estoy presionando la botella rota contra el costado del cuello de Shevchenko, justo sobre su arteria carótida.

—Pongan las armas sobre la mesa —ordeno sin apartar los ojos de la cara de pánico de Shevchenko. No pasa nada.

Miro a sus dos hombres, que están de pie al otro lado de la cabina apuntándome con sus armas. Agarro la mano del que está más cerca de mí y tiro de él sobre la mesa, protegiéndome justo antes de que el otro hombre dispare. El tipo al que sostengo grita cuando la bala le da en el pecho. Giro su mano que aún sostiene el arma hacia el tirador y aprieto sus dedos. El arma dispara dos veces, alcanzando al tipo en el estómago en ambas ocasiones. Mientras se derrumba en el suelo, gimiendo, uso la botella rota para cortar el cuello del hombre que estoy sosteniendo, luego vuelvo mi atención a Shevchenko. Todavía está sentado, sosteniendo a la chica contra su pecho como un cordero para sacrificio. Sus ojos van de mí, sobre el cuerpo ensangrentado tirado en la mesa, a su hombre que ahora yace inconsciente en el suelo.

—Me molesta cuando la gente me apunta con armas —declaro y señalo a la chica con mi mano—. Ven aquí, cariño.

Sus ojos se abren. Parece renuente al principio, probablemente porque tengo sangre goteando de mi mano, pero luego se baja del regazo de Shevchenko y corre a pararse a mi lado.

—¿Cuántos años tienes? —pregunto, sin apartar los ojos del bastardo horrorizado que sigue sentado en la cabina.

—Quince —musita apenas audible.

Quince. Dios mío. Ella podría ser su nieta.

—Ve arriba —digo con los dientes apretados—. Pregunta por Pasha. Encontrará a alguien que te lleve a casa.

Espero a que se vaya, luego me acerco al hijo de puta enfermo que está reclinado en su asiento, como si eso lo ayudara. Inclinando mi cabeza hacia un lado, lo evalúo, luego tomo el arma que está en la mesa.

—No me gustan los pedófilos. —Levanto el arma y le disparo en el centro de su horrible cara.

Después de arrojar la pistola sobre la mesa, me limpio la sangre de la mano con la esquina de la chaqueta de Shevchenko y me doy la vuelta para encontrar al camarero y una señora de la limpieza acobardados en la esquina opuesta del club, mirándome.

—¿Está Pasha aquí? —indago.

La señora de la limpieza intenta dar un paso atrás, pegando la espalda a la pared. El camarero parpadea y señala hacia arriba. Miro hacia la galería suspendida sobre la pista de baile. Pavel está al otro lado de la pared de cristal, con un teléfono en la oreja y mirando en mi dirección. Probablemente está llamando a Roman para delatarme. Engancho mi pulgar sobre mi hombro hacia la cabina, luego hago un gesto con mi mano para indicarle que debe limpiar el desorden. Pavel se aprieta las sienes con la mano libre y niega con la cabeza. No creo que me deje tener más reuniones en Ural.

Mi teléfono suena cuando estoy a medio camino de mi auto. Lo saco y tomo la llamada sin mirar la pantalla. No tengo que... suena un tono especial programado para mi hermano.

—¿Sí?

—¡Te voy a matar, carajo! —Roman ruge, y rápidamente retiro el teléfono de mi oreja. Los gritos continúan durante un minuto más o menos, las habituales y cálidas bromas familiares. Todos los corazones y arcoíris—.... cortarte en pedazos pequeños, y luego dárselos de comer a esa bestia tuya.

—Mimi no come carne cruda. —Vuelvo a ponerme el teléfono en la oreja y enciendo un cigarrillo—. Es malo para el tracto digestivo.

—Tienes una semana para encontrarme un nuevo comprador. Una semana. ¿Entendiste?

—Ya hablé con la Camorra la semana pasada. Tomarán el doble de la cantidad que vendíamos a los ucranianos. Y tengo una reunión con algunas pandillas en los suburbios este fin de semana. Estamos bien.

—Maldita sea, Sergei. —Suspira.

—Shevchenko dijo algo interesante antes de que lo despachara. Se trataba de los irlandeses.

—¿Qué?

—Están en negociaciones con Diego Rivera. Parece que planean entrometerse en nuestro territorio.

—Vaya, me encantaría verlos intentarlo —gruñe—. No mates a más de nuestros compradores, Sergei. ¿Entendiste?

—Lo intentaré.

—Él lo intentará. Maravilloso —murmura Roman en el teléfono y me cuelga.

Tan pronto como estaciono mi auto en el garaje, tomo un desvío hacia la casa de Felix para darme una ducha y cambiarme. Traté de no mancharme la camisa con sangre, pero un poco terminó en mi manga de todos modos. No quiero que Angelina la vea ni me tenga miedo. Además, permitirle verme cubierto de sangre requeriría una explicación.

Cuando termino, me dirijo a la casa. No hay nadie abajo, así que corro escaleras arriba y entro en mi habitación, donde Angelina está acurrucada en el sillón reclinable, sosteniendo un libro en sus manos. Por un momento, creo que está leyendo una de mis novelas de detectives, tengo toneladas, pero me detengo cuando me doy cuenta de la portada. Ella sostiene *Anna Karenina,* edición rusa. ¿Felix tenía razón sobre ella?

Levanta la vista del libro y se encuentra con mi mirada.

—¿Cómo estuvo la reunión?

—Bien. —Me apoyo en el marco de la puerta y señalo con la cabeza el libro que sostiene—. ¿Hablas ruso?

—No exactamente. Sé algunos conceptos básicos. —Se encoge de hombros—. Tomé un curso de ruso en mi primer año, pero finalmente decidí concentrarme en inglés e italiano.

—¿Cuánto entiendes?

—Bueno, probablemente podría pedir direcciones en ruso, y recuerdo los nombres de algunas frutas y verduras. Y sé muchas malas palabras —resopla, se levanta de la silla y camina hacia la estantería para guardar el libro—. Me encantó la película y quería intentar leerlo. Me quedé atascada en la segunda oración porque alguien no me dejó usar la *laptop* para comprobar las traducciones.

Dejo mi lugar en la entrada, cruzo la habitación hasta que estoy justo detrás de ella y coloco mis manos en el estante a cada lado de ella. Angelina toma aire y se da la vuelta para mirarme.

—¿Me estás mintiendo otra vez, Angelina? —Inclino la cabeza para mirarla directamente a los ojos.

—¿Acerca de?

—¿Eres una espía, *lisichka*?

Me mira fijamente, luego asiente, su rostro es una imagen de seriedad.

—Sí. Me atrapaste por completo. —Estrecho los ojos—. También pasé por un riguroso entrenamiento en artes marciales, así que deberías cuidarte la espalda cuando estoy cerca.

La miro y me echo a reír. Después de morir de hambre, está delgada como un palo y no sería capaz de enfrentarse a una ardilla. E incluso si ha perdido parte de su masa muscular, no se comporta como una persona que sabe artes marciales.

Cuando mi risa disminuye, la estudio. Está sonriendo y no puedo recordar la última vez que alguien se burló de mí.

—Dime algo en ruso.

—¿Ahora? —Su ceja se curva hacia arriba—. ¿Qué quieres que te diga?

—Lo primero que se te ocurra.

—*Sabaka Bobik* —espeta.

Me estremezco. Su pronunciación es atroz.

—*¿Sabaka Bobik?* ¿De dónde diablos sacaste eso?

—Es un personaje de dibujos animados.

Ladeo la cabeza y la miro mientras se ríe. Hay algo en

ella... algo que calma a mis demonios. No recuerdo la última vez que me sentí tan tranquilo en presencia de alguien. Moviendo mi mano derecha a la parte posterior de su cuello, entierro mis dedos en su cabello. Sus ojos se agrandan, pero no se inmuta como esperaba, solo me mira. No hay forma de que sea una espía. Su cara es como un libro abierto y, como ya he concluido, no sabe mentir, aunque su vida dependa de ello.

«Eso aún deja la pregunta de qué estaba haciendo en ese camión». Me lo pregunto probablemente por milésima vez mientras inclino la cabeza hasta que mi boca está justo al lado de su oreja.

—Tarde o temprano, descubriré lo que estás escondiendo.

Me quedo completamente inmóvil, tratando de ignorar la compulsión de inclinarme e inhalar el aroma de Sergei. Está usando esa colonia de nuevo, la que me recuerda cómo se siente estar presionada contra su pecho sólido, con esos fuertes brazos sosteniéndome cerca. No soy una persona demasiado cariñosa, sin embargo, imagino mi cara acurrucada en el hueco de su cuello mientras su mano se desliza arriba y abajo por mi espalda. Como lo hizo esa primera noche.

Sergei se endereza, la punta de su nariz roza mi mejilla en el proceso, y se me corta el aliento. Mis ojos lo siguen mientras sale de la habitación, y todavía siento la piel de gallina en la piel sensible de mi nuca, donde acaba de estar su mano. Este hombre es muy peligroso. Tendré que concentrar toda mi energía en salir de aquí lo antes posible. Esta conclusión, sin embargo, no tiene nada que ver con su reputación, y tiene todo que ver con el hecho de que no me gusta la forma en que mi cuerpo, así como mi cerebro, reaccionan ante él. Sentirme atraída por una persona que me mantiene prisionera no es normal.

Llega un sonido de fuertes ladridos afuera, camino hacia la ventana y miro hacia el patio frente a la casa. Sergei está parado al borde de la entrada, sosteniendo un palo mientras Mimi corre a su alrededor emocionada. Lanza el palo hacia el otro extremo del patio y Mimi corre tras él. Para una perra de ese tamaño, es bastante rápida. Muevo mi mirada de nuevo a Sergei, preguntándome por qué insiste en retenerme aquí.

¿Realmente cree que soy una espía? Si es así, ¿no sería más razonable que me fuera? No tiene sentido.

Es bastante difícil conectar la persona despiadada y loca que describieron los hombres de mi padre con el tipo que actualmente está rodando por el césped con su perra, riéndose. Una máquina de matar, así lo etiquetaron. Felix también dijo algo similar, así que debe haber algo de verdad en todo eso, pero incluso así...

Poniendo mi palma en la ventana frente a mí, observo al hombre que ocupa mis pensamientos desde el primer momento en que lo vi.

Capítulo *seis*

Sergei

Finjo que estoy concentrado en mi desayuno mientras observo en secreto a Angelina en el lado opuesto de la mesa. Sostiene una cuchara paralizada a medio camino de su boca y mira fijamente a Mimi, quien está golpeando el costado de Angelina con su hocico.

—Relájate. No te morderá —digo.

—¿Estás seguro?

—Ella solo muerde a la gente cuando se lo ordeno. Y, de todos modos, eres demasiado huesuda para su gusto.

—Bueno, supongo que eso es un alivio.

—Quiere que la acaricies. —Asiento hacia la perra. Si no lo haces, te va a molestar todo el día.

—Ella no se ve exactamente como una perra tierna.

Porque no lo es. A Mimi no le gusta la gente nueva. O la gente en general, para ser más exactos.

Angelina estira la mano para rascar la parte superior de la cabeza de Mimi, y Mimi le lame la palma de la mano. La forma en que mi perra actúa alrededor de ella es inesperada. Empezó a seguir a Angelina por la casa y siempre la tiene a la vista, incluso sin mis órdenes. Cuando Angelina duerme, Mimi se asegura de que su cabeza esté en una posición precisa donde pueda mirar a Angelina con un ojo, mientras mantiene el otro en la puerta. Es normal que los perros protectores se coloquen entre la persona a la que protegen y la fuente de una posible amenaza.

Tal vez ella está captando las vibraciones protectoras de mí. Me viene a la mente la imagen de Angelina acurrucada en el piso de esa camioneta, y cierro los ojos, apretando el tenedor. Nunca olvidaré la mirada en sus ojos, como si yo fuera una especie de salvador en lugar de un hombre cuyo propósito principal era acabar con vidas. Han pasado años desde que sentí la compulsión de proteger a alguien, excepto a mí mismo, e incluso eso es raro. La mayor parte del tiempo, especialmente en mis últimos años en el servicio, en realidad me importaba un bledo si vivía o no. Pero en lo que respecta a Angelina, tengo esta necesidad inexplicable de tomarla y mantenerla siempre a mi lado, para que nadie pueda lastimarla nunca más.

—Jugué una ronda de póquer con Felix la otra noche —dice ella—. Tenías razón. Él hace trampa.

—Te lo dije —bufo—. ¿Qué perdiste?

—Tengo que preparar la cena.

—Tuviste suerte. La última vez que jugué con él, perdí mi auto.

—¿En serio?

—Sí. Entonces, tuve que volver a comprárselo. Me cobró el doble del precio real. Imbécil.

—¿Por qué no compraste uno nuevo? —Ella abre sus ojos hacia mí.

—Me gusta ese auto. Y no quería tener que lidiar con ir a un concesionario de automóviles.

—La dinámica entre ustedes dos es realmente extraña —señala.

—Sí, podrías decir eso. A menudo me pregunto cómo es que no lo he estrangulado todavía. Me regaña todo el tiempo, no sabe cocinar ni una mierda y deja sus cosas en mi casa. —Me encojo de hombros—. Me salvó la vida un par de veces mientras trabajábamos juntos, aunque está perdiendo esos puntos rápidamente.

—¿Un par de veces? ¿En qué estaban trabajando ustedes dos cuando te salvó la vida más de una vez?

Oh, no tocaremos ese tema. Me levanto de la mesa y le silbo a Mimi.

—¿Quieres estirar las piernas? Tengo que pasear a Mimi antes de ir a trabajar.

Ella me mira por un par de momentos, luego asiente.

—Claro.

—Pero no huyas esta vez, Angelina.

Ella solo sonríe.

Lanzo el palo para que Mimi lo busque y me doy la vuelta para encontrar a Angelina tirada en el césped detrás de mí, con los ojos cerrados y la cara inclinada hacia el cielo.

—Siento que he corrido una milla —dice ella.

—¿Cansada?

—Un poco. Me tiemblan las piernas.

—Morirse de hambre puede hacerle eso a una persona. —Me siento en el césped junto a ella, me apoyo en los codos y miro el sol ponerse en el horizonte—. ¿Todavía no quieres decirme por qué lo hiciste?

—No.

—Entonces supongo que te quedarás con nosotros.

—No precisamente. Necesito unos días para reunir más fuerzas, luego intentaré huir de nuevo.

—Gracias por el aviso. —Me río.

Ella inclina la cabeza hacia un lado y me mira con los ojos entrecerrados.

—¿O simplemente podrías dejarme ir?

—Eso no sucederá. Lo siento.

—¿Por qué?

—Me divierte bastante tenerte aquí. Especialmente tus infructuosos intentos de fuga. —Me encuentro con su mirada, extendiendo mi mano para agarrarla detrás del cuello, y me inclino para susurrarle al oído—. Y no me he divertido en mucho tiempo.

Los ojos grandes y oscuros de Angelina se vuelven imposiblemente redondos, y me pregunto qué haría si supiera el tipo de pensamientos que pasan por mi mente en este momento. Ella. Desnuda. Presionada debajo de mi cuerpo mientras la embisto con todas mis fuerzas.

Muevo mi mirada de sus ojos al lado de su barbilla. Ya no hay un tinte amarillento allí. El moretón ha desaparecido, dejando una piel suave y sana. No importa, porque todavía recuerdo cómo se veía. Alguien la había golpeado antes de que ella viniera a mí, y para que dejara el moretón de ese tamaño, tuvo que ser un puñetazo muy fuerte. Sin duda, fue un hombre quien la golpeó. La sensación familiar de ardor comienza a formarse en la boca de mi estómago y luego se extiende a mi pecho. Mi visión se oscurece. Mimi comienza a ladrar en algún lugar detrás de mí, pero el sonido suena amortiguado.

—Sergei.

Me siento como si estuviera en un túnel, aislado del resto del mundo. Mi visión se oscurece aún más. Puedo ver el rostro de Angelina frente al mío, está diciendo algo y la mirada en sus ojos parece preocupada. Parpadeo, con la esperanza de aclarar mi mente. A veces funciona. Ahora no.

—¡Sergei!

Siento manos pequeñas agarrar mi cara, apretando ligeramente. Mi mano todavía está en la nuca de Angelina. Lo muevo hasta que siento su pulso bajo mis dedos, luego lo presiono, concentrándome en el ritmo de los latidos de su corazón.

—¿Estás bien? ¡Sergei!

Mi visión se aclara un poco y la cara de Angelina vuelve a enfocarse. La sensación de aislamiento se disipa.

—Sí —respondo—. ¿Por qué no lo estaría?

Angelina inclina la cabeza y me mira con preocupación.

—Tenías esa mirada vacía en tus ojos. Y no respondías cuando dije tu nombre.

—Estaba sumido en mis pensamientos —aclaro, y suelto su cuello—. Deberíamos volver.

—¿Seguro?

—Sí. —Me pongo de pie y me encamino en dirección a la casa. A unos cuantos metros, Angelina iguala mi paso acelerado, pero luego reduce la velocidad a un paso lento. Me detengo a esperarla y cuando me alcanza, está respirando con dificultad, así que envuelvo mi brazo alrededor de su cintura y la levanto en mis brazos.

—Eso no es necesario —dice ella, pero no hace ningún movimiento para liberarse. Ignoro su comentario, le silbo a Mimi y me dirijo por el camino.

—Dime, ¿todos tus rehenes reciben el mismo trato? —pregunta ella un momento después.

—¿Cargarlos cuando están cansados?

—Sí. —Ella asiente.

—Eres la primera. Todavía estoy pasando por una curva de aprendizaje. —La miro—. Pero tú pareces toda una profesional en este asunto de los rehenes.

Sus cejas se disparan.

—¿Cómo es eso?

—Te vi pasar de contrabando el cuchillo para bistec al dormitorio después del almuerzo ayer —confieso y la siento tensarse en mis brazos—. También encontré el cuchillo de carnicero que guardas debajo del colchón. Albert es muy quisquilloso con sus utensilios de cocina favoritos. Se volverá loco si ve que el cuchillo ha desaparecido. ¿Puedes cambiarlo por el cuchillo *santoku*? Él nunca usa ese.

—¿Cómo…? —Me mira—. ¿Por qué…?

—¿Por qué no te los quité? —Sonrío—. ¿Por qué habría de hacerlo? No has intentado nada con ellos hasta ahora. Y creo que es tierno.

—Tener un cuchillo de carnicero debajo del colchón es... ¿tierno?

—Mucho.

—Eres raro.

—No soy yo quien guarda un utensilio de cocina en la cama.

—¡Es un arma!

Me imagino a Angelina tratando de atacar a alguien con

esa cosa y trato de sofocar una risa, pero fallo. Probablemente necesitaría usar ambas manos para levantarlo. Aparentemente, puede que la haya ofendido, porque levanta la barbilla y me resopla.

Disfruto la forma en que Angelina se siente en mis brazos. Tenerla así de cerca asegura que esté a salvo de cualquiera que quiera hacerle daño. Cuando me diga quién la lastimó, y eventualmente lo hará, me divertiré matándolos. No usaré un arma. Eso es demasiado rápido. Un cuchillo tampoco servirá. Mmm. ¿Tortura con agua? Tal vez, si puedo encontrar un buen lugar para hacerlo. ¿Estrangulación? Sí, eso suena bien. También cortarles las extremidades. Necesitaría una sierra eléctrica, y maldita sea, esa mierda es ruidosa. Lo consideraré un poco más.

—¿Qué estás pensando? —pregunta Angelina.

—Nada en concreto. ¿Por qué?

—Porque tienes una sonrisa de satisfacción en toda la cara.

—*Oh,* solo estoy planeando algunas actividades extracurriculares, eso es todo.

Capítulo siete

Sergei

Estaciono mi motocicleta al final de una larga fila de Harley Davidsons, me quito el casco y me apoyo en las manijas, inspeccionando los alrededores. Basado en los sonidos de risas y gritos provenientes del bar frente a mí, los miembros de Black Wings MC se están divirtiendo mucho. Le dije a Roman que hacer negocios con los MCs es complicado, pero como mi hermano es un testarudo extraordinario, insistió en que me reuniera con ellos.

Hay un sonido de un motor acercándose, ronroneando más suave que una motocicleta, y unos segundos más tarde, un elegante sedán negro se estaciona a mi derecha. Parece que ha llegado mi niñera. Después de la cagada con Shevchenko, Roman le ordenó a uno de los muchachos que me acompañara a las reuniones para asegurarse de que me comportara. Hoy es el turno de Pavel.

La puerta del conductor se abre y sale. Lo miro fijamente durante unos segundos, luego me echo a reír.

—¿Estás bromeando?

—¿Qué ocurre? —Pavel pregunta y mira a su alrededor con disgusto.

—¿Qué ocurre? —Hago un gesto con la mano en su dirección—. No vienes a un club de motociclistas con un jodido traje de tres piezas. Pensarán que somos las jodidas autoridades.

—*Oh*, ¿y qué debería haberme puesto para esta reunión?

—*Jeans*, Pasha. Sabes lo que son, ¿no? —Creo que nunca he visto a Pavel con otra cosa que no sea un traje.

—No tengo *jeans*. —Mira su Rolex de oro y asiente hacia el bar—. Terminemos con esto.

No tiene *jeans*. Niego con la cabeza y bajo de la motocicleta. Pavel y yo tenemos la misma edad, pero él parece que tiene cincuenta.

—Deberías haber sido banquero —bufo.

En el momento en que entramos, todas las cabezas se vuelven en nuestra dirección. Hay un par de segundos de silencio absoluto, luego carcajadas llenan la habitación.

—¡Lugar equivocado, amigo! —Alguien grita—. El club Bridge está al final de la calle.

Otra ronda de risas nos sigue mientras caminamos hacia la mesa donde está sentado el presidente del MC. Una mujer está arrodillada entre sus piernas, con la boca envuelta alrededor de su pene.

—Drake. —Asiento mientras tomo asiento frente a él—. Roman dijo que quieres discutir algún tipo de colaboración.

Echa a la chica, se guarda la polla y estudia a Pavel, que se sienta a mi lado. Hay siete miembros del MC distribuidos alrededor de la barra y un grupo de mujeres con poca ropa que miran en nuestra dirección y se ríen por lo bajo. Pavel los ignora, se recuesta en su silla y cruza los brazos frente a él.

— No voy a discutir una mierda con la señorita Priss aquí. —Drake asiente a Pavel—. Pensé que eras un tipo serio, Belov.

—*Oh,* no dejes que el traje te engañe, Drake. Apuesto a que la señorita Priss —me río—, puede darle una paliza a cualquiera de tus muchachos.

—Sergei —dice Pavel con voz grave.

—¿Qué? Es la verdad.

—Venimos a hablar. No para jugar —se queja.

—Vaya, el señorito no quiere jugar. —Drake ruge de risa, luego se vuelve hacia la habitación—. ¡Este buen caballero aquí acaba de anunciar que puede enfrentarse a cualquiera de ustedes! —grita, señalando con el pulgar a Pavel, y la sala estalla en carcajadas.

Pavel sacude la cabeza, levanta la mano y se aprieta las sienes.

—Actúas como un niño de nueve años, Sergei.

—¿Me delatarás con papá Roman otra vez?

—Mataste a nuestro comprador en mi club dos horas antes de abrir. Él se habría enterado de todos modos.

—Bueno, parece que seré yo quien llame al *Pakhan* esta vez. —Sonrío y asiento con la cabeza hacia el centro de la habitación donde uno de los motociclistas está parado con las manos en la cintura.

—¡Oye, chico bonito! —exclama el motociclista.

Pavel lo ignora y se vuelve hacia el presidente.

—¿Podemos continuar con lo que vinimos a discutir aquí? Tengo trabajo que hacer.

—¿Dejas que entren pendejos en la *Bratva,* Belov?

—Drake espeta, luego se inclina sobre la mesa hacia la cara de Pavel . Nosotros no hacemos negocios con putos cobardes. ¡Cuando afirmas una mierda por aquí, lo demuestras!

Pavel gira su cabeza hacia mí para darme una mirada exasperada, luego se levanta y se vuelve hacia el motociclista calvo que está parado en el medio de la habitación. El tipo tiene veinticinco años, es un poco más alto que Pavel, y alrededor de setenta libras más pesado. Sonrío, tomo el tazón de maní de la mesa y me recuesto en mi silla. Esto será divertido.

Otra ronda de risas histéricas estalla en la habitación cuando Pavel se quita el reloj y comienza a desabotonarse metódicamente la chaqueta. Sin embargo, cuando la coloca en el respaldo de su silla y se sacude las arrugas de los hombros, la multitud enloquece. Incluso comienzan a animar.

Pavel camina hacia el motociclista y se detiene a dos pasos de él. Son todo un espectáculo: el motociclista, con *jeans,* tatuajes, cabeza calva y una chaqueta de motociclista sobre su pecho tatuado. Y Pavel, con el cabello peinado hacia atrás, una camisa blanca perfectamente planchada y un chaleco negro.

Drake se ríe.

—Espero que a tu *Pakhan* no le importe que termine muerto.

—Para nada. —Me meto un maní a la boca—. Pero él dice que ese tipo de mierda es malo para los negocios. Tomo otro puñado de cacahuates, luego grito—: ¡Pasha! Intenta no matarlo. Papá se enfadará.

El motociclista elige ese momento para lanzar un golpe. Su cara está llena de confianza. Claramente cree que atrapará a Pavel de un solo golpe. Pavel lo esquiva. La mirada confusa del motociclista no tiene precio. Pavel le da un puñetazo en el estómago y el grandulón tropieza hacia atrás. Me río a carcajadas. El motociclista todavía está tratando de recuperarse cuando Pavel ejecuta una patada hacia atrás perfecta. El tacón del zapato de mil doscientos dólares de Pavel golpea un lado de la cabeza del matón. El tipo cae al suelo, inconsciente.

Las risas desaparecen, reemplazadas por algunos murmullos.

—Hombre, me encanta ese movimiento —murmuro con la boca llena y me giro hacia Drake—. ¿Ahora podemos hablar sobre el negocio de las drogas?

El presidente me mira fijamente con los labios apretados en una fina línea.

—Pedazo de mierda.

—¿Qué? —Enciendo un cigarrillo y doy una gran calada—. Pasha estaba en la escena de lucha clandestina cuando era joven. Te dije que podía enfrentarse a cualquiera de tus hombres.

El bajo retumbar de voces cesa y queda un silencio absoluto.

—¿Viniste a mi casa para ponerme en ridículo, Belov? —él reclama—. ¿Ese era tu plan?

—No, Drake. Mi plan era ver tú interés por hacer negocios. Y basado en lo que acaba de pasar, pareces más interesado en pelear que en colaborar. —Apago el cigarrillo y envuelvo mi mano alrededor de un vaso medio lleno de *whisky* sobre la mesa—. Realmente me molesta cuando la gente me hace perder el tiempo.

Lanzo el licor sobre su pecho, enciendo el encendedor que todavía tengo en la mano y se lo arrojo.

Drake ruge, salta de la silla y se retuerce mientras las llamas le comen la ropa y la piel. Me tiro al suelo, ruedo hacia el final de la barra a mi derecha y me agacho. El sonido de gritos y chillidos de mujeres llenan la habitación. Dos de los motociclistas corren hacia el presidente, con chaquetas, listos para extinguir las llamas. El resto ya está agarrando sus armas. Saco el arma de la funda en mi tobillo, me enderezo y disparo a tres de los motociclistas, luego me agacho. Cuando me levanto de nuevo, me deshago de dos más.

El grupo de mujeres se esconde debajo de la mesa en la esquina, gritando. No hay señales de Pavel. Su reloj y su chaqueta ya no están en la mesa. Dejo mi cubierta, disparo a los dos últimos hombres que intentan extinguir las llamas, luego camino por la habitación, disparando a cada uno de los motociclistas caídos en el centro de sus frentes. Nunca supongas que alguien está muerto hasta que tenga un agujero en la cabeza. Ese es mi lema.

Cuando salgo del bar encuentro a Pavel apoyado en el capó de su sedán negro, con las manos en los bolsillos.

—Eso fue de mala educación —digo y agarro mi casco.

—Lo que fue es tu cagada. Entonces, deberías haber sido tú quien lo manejara.

—No. Estaba pensando en el futuro. Se habrían vuelto contra nosotros en algún momento. Drake ya estaba agarrando su arma cuando lo provoqué.

—Estoy seguro de que Roman valorará tu previsión —ironiza Pavel mientras se sube a su auto.

—Por supuesto que lo hará.

Basado en la cantidad de amenazas de muerte que Roman me envía cuando lo llamo una hora más tarde, no lo hace. Mi hermano es increíblemente desagradecido.

Capítulo ocho

Angelina

Salgo de mi habitación, o, mejor dicho, celda. Mimi me sigue mientras bajo las escaleras para ver si hay algo para comer en la cocina.

Después de seis días en la casa de Sergei y otros dos intentos fallidos de fuga, concluyo que tendré que esperar hasta estar afuera para volver a intentarlo. Con alarmas y cerraduras remotas en cada ventana y puerta, y Mimi siguiéndome sin parar, he considerado el lugar a prueba de fugas. Felix debe haber adivinado mi línea de pensamiento porque me dijo ayer por la mañana que puedo caminar sola por la casa. Probablemente porque Cerbero está constantemente pisándome los talones.

Sergei no ha estado mucho por aquí. Por lo que deduje cuando estaba hablando por teléfono, que la *Bratva* tenía algunos problemas con los italianos, y necesitaba reemplazar a los hombres que resultaron heridos en el incendio de un almacén. No pude captar todos los detalles. De todos modos, extraño un poco verlo. ¿Podría estar desarrollando el síndrome de Estocolmo?

Abajo, me giro hacia la cocina, con Mimi trotando detrás de mí, pero un sonido de la sala de estar me hace detenerme y girar la cabeza. Todas las luces, excepto la lámpara cerca de la puerta principal, están apagadas, así que me toma unos segundos antes de notar a Sergei. Está de pie junto al sofá de espaldas a mí, mirando algo en la pared frente a él.

—¡Oye, carcelero! —exclamo y me dirijo hacia él.

Él no responde, solo sigue mirando al frente y levanta su brazo derecho. Un segundo después escucho un golpe. Sigo su mirada y me toma unos momentos concentrarme en una tabla de madera estrecha con una franja blanca horizontal. Es similar a la que está montada en la pared de la habitación donde duermo. La luz es tenue, pero distingo varios cuchillos alojados en el tablero en una línea perfectamente recta a lo largo de la franja. Sergei vuelve a levantar el brazo, sujetando otro pequeño cuchillo, y lo lanza por los aires. Golpea el tablero justo al lado de sus predecesores, extendiendo la formación.

Mis ojos se abren.

—*Wow.* Eso es... impresionante.

—Gracias —dice Sergei con una voz distante que me hace mirarlo.

Él está de pie completamente inmóvil. Demasiado quieto. Al igual que la noche en que estaba preocupado por su amigo que recibió un disparo. No puedo ver sus ojos en la poca luz, pero si pudiera, estoy bastante segura de que también estarían desenfocados como entonces.

—¿Sergei? ¿Estás bien?

—Sí.

Él no suena bien.

Debería aprovechar esta oportunidad para huir. Mimi me siguió escaleras abajo, pero cuando vio a Sergei, desapareció. Felix no está aquí. Y en el estado actual de Sergei, es posible que no me siga si trato de irme. Es ahora o nunca.

Doy un paso atrás, giro y me dirijo hacia la puerta. Él no me sigue. Solo diez o más pasos me separan de una posible libertad. Llevo pijama y tengo los pies descalzos, pero no puedo arriesgarme a volver a subir a buscar zapatos. Seis pasos. Cinco. Él está bien, saldrá de su depresión por sí mismo. Tres pasos. Necesito pensar en mí. No volveré a tener una oportunidad como esta. Un paso. Me detengo frente a la puerta y lanzo una mirada por encima del hombro. Sergei sigue parado en el mismo lugar. Agarro la perilla.

—Maldición —murmuro, giro sobre mis talones y vuelvo la cabeza.

Cuidadosamente estiro la mano y la coloco en el antebrazo de Sergei.

—Oye —le digo y lo aprieto ligeramente—. ¿Puedes mirarme?

Exhalando, inclina la cabeza y mira hacia abajo, pero todavía no puedo ver sus ojos tan bien.

—*Mmm*... ¿Puedes guardar esos? —Asiento con la cabeza hacia su mano izquierda donde todavía sostiene dos cuchillos.

Abre los dedos y los cuchillos caen al suelo. Bien. ¿Qué hago ahora? Todavía parece ausente.

—¿Qué piensas de mi pijama? No te consideré un amante de bebés pandas.

Mi pregunta idiota es lo que finalmente llama su

atención. Baja la mirada para escanear mi cuerpo, luego levanta los ojos hacia arriba.

—Son horribles.

—Tú las compraste. —Sonrío.

—La encargada de la tienda los eligió. Tiene mal gusto.

—Creo que son bonitos.

—Créeme, no lo son.

Espero que sonría después de esa declaración, pero sigue parado allí. No me gusta lo quieto que está. Levanto mi mano, coloco la punta de mi dedo en el puente de su nariz y trazo lentamente una línea a lo largo, sintiendo algunas arrugas debajo de la piel. Es la única imperfección en su increíblemente hermoso rostro.

—¿Cuántas veces te rompiste la nariz?

—Cuatro.

—¿Te gustan las peleas de bar?

—No. Sucedió durante mi entrenamiento.

—¿Qué tipo de entrenamiento?

—No puedo hablar de eso.

Es extraño cómo puede mantener la conversación sin estar completamente presente. Al menos, estoy bastante segura de que eso es lo que está pasando. Parece que está aquí, pero al mismo tiempo, no lo está.

Me estiro y pongo mi mano en su pecho.

—Gracias por comprarme ropa. Alimentarme. Lavarme el pelo. —Dejo que la palma de mi mano se deslice hacia arriba hasta llegar a su rostro, que todavía tiene líneas muy marcadas—. Gracias por salvarme la vida, Sergei.

Sacude la cabeza y me mira a los ojos.

—Varya te bañó. El ama de llaves de Roman. No pensé que sería apropiado para mí verte desnuda —dice, su voz sonando casi normal—. Solo te llevé al baño y luego salí cuando ella terminó.

—Eso fue considerado de tu parte. —Tomo su mano derecha en la mía—. Tengo hambre. ¿Qué tal si vamos a hacerme un sándwich?

—Seguro. —Sergei parpadea una vez, pero es como si sus párpados se movieran en cámara lenta. Luego, sus hombros bajan muy levemente.

Él está de vuelta. Dejo escapar un suspiro y me giro hacia la cocina, pero me detengo. Felix está parado en la puerta principal, observándonos. La luz de la lámpara a su izquierda lo ilumina, revelando una expresión de absoluta confusión mezclada con sorpresa. Siento que el cuerpo de Sergei se pone rígido detrás de mí. Solo dura un segundo. Luego se lanza hacia Felix, envuelve su mano derecha alrededor del cuello del anciano y lo presiona contra la puerta. Jadeo y miro a Sergei en estado de *shock*. Felix no mueve un músculo, no intenta liberarse. Permanece completamente inmóvil con la espalda pegada a la puerta y la enorme mano de Sergei envuelta alrededor de su cuello, como si esto hubiera sucedido antes.

Doy un paso adelante, pero luego Felix levanta ligeramente la mano, indicándome que me quede atrás.

—¿Sergei? —pronuncio en voz baja.

Nada. Inclina la cabeza hacia un lado y mira a Felix como si estuviera decidiendo cómo acabar con él. Un gemido bajo viene de mi derecha. Sin apartar los ojos de Sergei, doy dos pasos hacia un lado y agarro a Mimi por el collar para que no interfiera.

—¿Sergei? —llamo de nuevo, más fuerte esta vez, y suspiro con alivio cuando gira la cabeza.

Ahora que hay más luz, puedo ver que sus ojos todavía están ligeramente desenfocados. Me equivoqué antes. Él no está completamente aquí. Lanzo una mirada rápida a Felix. Nuestros ojos se encuentran, y me da un asentimiento apenas perceptible.

—Vamos, grandulón. Me prometiste un sándwich. Todavía necesito engordar al menos diez libras para volver a parecerme a un ser humano. —Sonrío un poco y extiendo mi mano hacia Sergei—. ¿Por favor? No sé dónde guardas el pan.

Lentamente, Sergei quita los dedos del cuello de Felix y se da la vuelta.

—Has perdido mucho más de diez libras —corrige. Acercándose a mí, toma mi mano y me arrastra a la cocina, con Mimi siguiéndonos.

—¿Jamón o queso? —Abre la nevera y empieza a sacar la comida, su voz y comportamiento completamente normal.

—Ambos. Y mucho *ketchup*.

—Eso es repugnante —dice y mira a Felix, que ahora está de pie junto a la mesa del comedor—. ¿Tenemos *ketchup*?

—Ni idea. —Felix se encoge de hombros, va a la alacena y empieza a sacar platos como si nada extraño hubiera pasado hace un minuto—. ¿Tal vez en la despensa?

—Echaré un vistazo.

Sergei sale de la cocina y, en cuanto se va, me dirijo a Felix.

—¿Estás bien?

—Sí. ¿Por qué?

¿Por qué? ¿Habla en serio?

—Porque Sergei casi te ahorca.

—Él no me estaba ahorcando. Si quisiera matarme, me habría roto el cuello. —Se gira para mirarme—. Creo que me estaba alejando de ti.

—Eso no tiene sentido.

—¿Estaba teniendo un episodio cuando lo encontraste?

—¿Un episodio? ¿Quieres decir si estaba ausente?

—Sí.

—Creo que sí, sí. Al principio no respondía, pero luego se recuperó.

—¿Cuánto tiempo pasó?

—No sé. Unos minutos. Le pedí que dejara los cuchillos, los estaba tirando a la pared cuando entré, y luego le pregunté unas tonterías sobre mi pijama. Hablé un poco más y él regresó poco después.

Felix me mira sin pestañear.

—¿Él te dejó tomar sus cuchillos?

—Bueno, los dejó caer al suelo.

Se acercan unos pasos y miro hacia arriba para ver a Sergei que se acerca con una lata de salsa de tomate.

—Solo encontré esto —comenta, luego se vuelve hacia Felix—. Nos estamos quedando sin papas.

—Ordenaré una entrega de la tienda mañana —dice Felix mientras coloca los platos sobre la mesa—. Envíame un mensaje de texto si ustedes dos necesitan algo más. Me voy a la cama.

Sigo a Felix con la mirada mientras camina hacia la puerta principal, pero antes de irse, lanza una rápida mirada por encima del hombro en mi dirección. Es bastante extraña, esa mirada. Seria y calculadora, y muy diferente de su comportamiento informal habitual. Y me doy cuenta de que no soy la única bajo este techo que ha estado escondiendo cosas.

En el momento en que salgo de casa, saco mi teléfono y llamo a Roman Petrov. Contesta al primer timbre.

—¿Qué pasó?

—Tienes que hablar con la chica Sandoval —digo.

—¿Acerca de?

—Necesitamos que aclare por qué está aquí. Si ella es una espía que de alguna manera terminó aquí con nosotros, necesitamos saberlo. Y necesita ser enviada lo más lejos posible de Sergei.

—¿Y si no lo es?

Miro la casa detrás de mí.

—Si no lo es, debes convencerla de que se quede.

—¿Quedarse dónde?

—Aquí. Con Sergei. Al menos por un tiempo.

—¿Cómo diablos debería convencerla de que se quede? ¿Por qué querría quedarse con Sergei? ¿Están cogiendo?

—No, no lo creo.

—¿Qué diablos está pasando, Felix?

Me detengo frente al garaje y miro hacia el cielo oscuro.

—Tu hermano no está bien. —Respiro profundamente—. Ha estado perdiendo el control con más frecuencia en los últimos meses y apenas duerme. Empezó a empeorar hace un par de semanas.

—¿Y apenas me estás diciendo esto ahora?

—Has tenido demasiadas cosas de que ocuparte.

—Teníamos un trato, Felix. Deberías habérmelo dicho en el momento en que empezó a empeorar. ¡Lo mandé al campo, por el amor de Dios!

—¡Pensé que podría ayudar! —justifico.

—¡Obviamente no fue así! ¿Te dijo que mató a Shevchenko el lunes?

—¿Qué? No.

—¿Qué tan mal esta él ahora?

—Hasta la semana pasada, estuvo realmente mal. Pero parece que está mejorando desde que llegó la chica Sandoval.

—Explícame.

—Se topó con él mientras estaba en medio de un episodio. Dos veces.

—Por Dios, carajo. ¿La lastimó?

—No. De alguna manera, se las arregló para traerlo de vuelta en ambas ocasiones.

—¿Cómo?

—No tengo ni idea. Ella dijo que habló sobre su pijama.

—¿Ella habló de pijamas?

—Sí.

Roman se ríe.

—Bueno, deben haber sido un conjunto de pijamas increíbles.

—Estaban cubiertas de pandas, Roman. De todos modos, tienes que hablar con ella. Si puede ayudar a Sergei, debemos mantenerla aquí.

—¿Has estado pasando tiempo con Maxim recientemente?

—No. ¿Por qué?

—Porque él suele ser el que tiene ideas locas. —Hay unos segundos de silencio antes de que continúe—. Está bien. Llamaré a Sergei mañana y le diré que traiga a su princesa del cártel a la mansión. Y será mejor que no sea una espía.

—¿Qué planeas hacer con ella si lo es?

—Matarla allí mismo, Felix.

Capítulo nueve

Entro en la sala de estar y me dirijo hacia el sofá, planeando ver la televisión un rato, cuando noto una pila de cuchillos para lanzar, sobre la mesa. ¿Se daría cuenta Sergei si tomo uno? Probablemente lo haría, y, de todos modos, todavía tengo el cuchillo de carnicero y el cuchillo para carne. No los ha confiscado. Estoy bastante segura de que me vio deslizando las tijeras en mi bolsillo esta mañana, pero no dijo nada. No parece que Sergei piense que represento algún tipo de amenaza.

No tengo problema en usar la violencia para defenderme, pero aquí no ha habido nada de que defenderme. Aparte del hecho de que no se me permite irme, me han tratado como a una invitada todo el tiempo. No sé por qué sigo amontonando las armas.

Si el cargamento hubiera sido interceptado por uno de los cárteles mexicanos rivales y me hubieran encontrado en ese camión, me habrían violado, probablemente varias veces, y luego vendido. Un escalofrío recorre mi espalda de tan solo pensarlo.

Tomo uno de los cuchillos y lo sostengo frente a mi cara, inspeccionando su elegante forma. No parece un cuchillo ordinario. No hay un mango estándar y parece que todo está hecho de una sola pieza de metal. Basado en su apariencia, esperaba que fuera más ligero. Me giro hacia la tabla de madera montada en la pared, donde todavía hay algunos cuchillos, y cruzo la habitación para inspeccionarla más de cerca.

Hay seis cuchillos clavados en el tablero a lo largo de la franja blanca. Están tan perfectamente espaciados que es como si Sergei hubiera usado una maldita regla para asegurarse de su ubicación precisa. Miro por encima del hombro, tratando de calcular la distancia entre la tabla y el lugar junto al sofá donde lo encontré anoche. Más de veinte pies. Mi mirada viaja de regreso a los cuchillos perfectamente alineados. ¿Cómo es eso posible? Apenas había luz en la habitación. Doy unos pasos hacia atrás y entrecierro los ojos hacia la raya blanca.

—Estás demasiado cerca —dice una voz profunda detrás de mí. Al instante, el brazo de Sergei se envuelve alrededor de mi cintura y tira de mí hacia atrás.

—¿No sería más fácil si estoy más cerca? —pregunto mientras mi corazón late acelerado cuando él presiona mi espalda contra su cuerpo.

—No. Necesitas más distancia para poder lanzarlo correctamente. —El brazo alrededor de mi cintura se aprieta ligeramente y cierro los ojos, disfrutando la sensación de sus dedos arrastrándose por mi brazo hasta que llega a mi mano y toma el cuchillo—. Empiezas aquí. —Levanta la mano que sostiene el cuchillo y muestra lentamente el movimiento de lanzamiento—. Un movimiento fluido. Y simplemente lo sueltas. No muevas tu muñeca.

Sergei suelta el cuchillo y este se clava en el tablero, justo al lado del anterior.

—Pero, ¿Para qué sirven? ¿Puedes matar a un hombre con esto?

—En teoría, sí —responde, todavía detrás de mí, y luego toma otro cuchillo—. En realidad, es demasiada molestia. Necesitas calcular la distancia, para que el cuchillo termine su rotación justo antes de dar en el blanco.

Levanta la mano, balancea y lanza de nuevo. Otro golpe perfecto.

—Si estás al aire libre, también debes tener en cuenta el viento. Y, si el objetivo se mueve, probablemente le darás con un borde en lugar de la punta. Incluso si los golpeas, no será letal en la mayoría de los casos. Es mucho más fácil acercarse y apuñalarlos.

—¿Por qué lo haces entonces? ¿Por qué practicar si no tiene sentido?

—Esto me relaja. —Inclina la cabeza, rozando la piel de mi mejilla con la suya—. ¿Quieres intentarlo?

—Sí —susurro, pero el hecho es que no estoy interesada en practicar el lanzamiento de cuchillos.

Su brazo desaparece de alrededor de mi cintura.

—Podemos hacerlo mañana si quieres.

—Claro —le digo, lamentando la pérdida de su cercanía.

—Deberíamos irnos. El *Pakhan* quiere hablar contigo.

Giro sobre mis talones y miro a Sergei, tratando de controlar el pánico que crece en mi estómago.

—¿Por qué querría hablar conmigo tu jefe?

—Ni idea. —Se encoge de hombros.

—¿Realmente tengo que ir?

—No puedes ignorar al *Pakhan* de la *Bratva* cuando te

llama para una reunión. —La comisura de su boca se inclina ligeramente hacia arriba—. A menos que estés escondiendo algo realmente malo.

—Por supuesto que no. —Intento fingir indiferencia—. ¿Qué debería vestir?

—Eso servirá. —Asiente hacia mis *jeans* y mi camiseta—. Pero trae una sudadera con capucha y sin sandalias.

—Está a noventa grados fuera.

—Te dará frío en la motocicleta.

Levanto las cejas y me río.

—No me voy a subir a esa cosa.

—¿Por qué no?

—Me gusta mi cuerpo en una sola pieza, muchas gracias. ¿Podemos ir en coche?

Estrechando sus ojos hacia mí, coloca un dedo debajo de mi barbilla y levanta mi cabeza. —Nunca te pondría en ningún tipo de peligro. —Me roza la barbilla con el pulgar y, en lugar de alejarme, tengo que luchar contra la necesidad de inclinarme hacia él—. Si tienes miedo de andar en motocicleta conmigo, entonces iremos en auto. Aunque me gustaría llevarte a dar un paseo en mi motocicleta.

Miro sus ojos, claros y brillantes, tan diferentes a como eran anoche. ¿Adónde va su mente cuando se ausenta? No puede ser un lugar agradable.

—¿Me prometes que no dejarás que me caiga de esa cosa?

—Lo prometo. —Roza mi labio inferior con su pulgar—. Te espero afuera.

Miro la puerta por la que acaba de pasar, preguntándome por qué su cercanía me impacta tanto. Decir que Sergei es guapo sería quedarme corta. Pero, aun así, me mantiene prisionera en su casa. No debería sentirme atraída por él. Todo lo contrario. Sacudiendo la cabeza, me apresuro a subir al dormitorio para agarrar un par de calcetines, zapatos deportivos y mi sudadera con capucha del sillón reclinable, y bajo las escaleras.

Observo la enorme motocicleta roja estacionada en el camino de entrada frente a mí y envuelvo mis brazos a mi alrededor. No. No lo haré. Ni siquiera me gustan las bicicletas. La idea de un vehículo que funciona solo con dos ruedas nunca me ha sentado bien.

Sergei se acerca a la motocicleta, pasa una pierna por encima, levanta el soporte y se sienta.

—Sube.

Le queda bien. La motocicleta. Me pregunto cómo se ve cuando va a una reunión. ¿Lleva traje? Me cuesta imaginarlo con pantalones de vestir y chaqueta. O con corbata.

—¿Estás dudando? —Me sonríe, y una agradable calidez baña mi cuerpo. La necesidad de estar cerca de él anula mi impulso de escapar.

—No —respondo. Tomando una respiración profunda, cierro la distancia entre esa cosa y yo, y subo detrás de él.

—Toma —dice y me pasa un casco rojo.

Lo miro, luego lo pongo sobre mi cabeza. Me hace sentir como una hormiga gigante.

—Rodea mi cintura con los brazos y agárrate fuerte. Iremos despacio. Si quieres que me detenga, solo apriétame dos veces y me detendré de inmediato. ¿De acuerdo?

Me inclino hacia adelante, me pego a su espalda y envuelvo mis brazos alrededor de él, sintiendo sus abdominales duros como rocas bajo mis manos. Sergei se pone el casco y arranca la moto, y tan pronto como el motor ruge, me aprieto contra su espalda aún más.

Al principio, no puedo pensar en nada más que agarrarme con fuerza a Sergei, pero después de un tiempo, encuentro el valor suficiente para abrir los ojos y mirar por encima de su hombro. No está tan mal. Mientras sigue conduciendo, la emoción supera mi miedo. Nunca me han gustado los deportes extremos porque tenía suficiente emoción en casa con todos los intentos de redadas y tiroteos aleatorios alrededor del complejo, pero esto... Me podría acostumbrar a esto. Pero más que la emoción del viaje me conmueve la cercanía de Sergei. Se siente bien, estar pegada a su enorme cuerpo de esta manera, y sin tener la intención de hacerlo, me encuentro inclinándome hacia él aún más. Desearía no tener puesto el casco, para poder presionar mi mejilla contra su espalda ancha.

No estoy segura de cuánto tiempo pasa, seguramente no más de media hora, cuando Sergei toma un camino lateral que sube ligeramente hacia la finca visible a través de la cerca de hierro. Se detiene en la puerta, se quita el casco y asiente al guardia. Después de que pasamos, conduce durante un minuto más o menos y se detiene frente a una enorme mansión blanca rodeada de césped finamente recortado.

Sergei me ayuda a bajar de la motocicleta y necesito unos segundos para acostumbrarme a la tierra firme bajo mis pies.

—¿Todo bien? —pregunta después de quitarme el casco.

—Mejor de lo esperado —digo y sonrío.

—¿Eso significa que te gustó?

—Tal vez.

Sergei estira la mano para tomar un mechón de cabello que se me cayó de mi pequeña cola de caballo y lo engancha detrás de mi oreja. Sus dedos se acercan a mi mejilla e inclina mi cabeza hacia arriba para poder mirarme a los ojos. Un estremecimiento de excitación recorre mi cuerpo y me encuentro inclinándome hacia delante, con la mirada fija en sus labios. Me pregunto cómo se sentiría tener esos labios fuertes presionados contra los míos. Un guardia de seguridad abre la puerta principal y me devuelve a la realidad.

—Terminemos con esto —murmuro y retrocedo a regañadientes. La mano de Sergei cae de mi cara.

—Seguro —asiente y sube los escalones hacia la puerta de la mansión.

Entramos en la mansión y cruzamos el gran vestíbulo, luego giramos a la izquierda. Al final del largo pasillo, Sergei toca en la última puerta y entramos. Hago todo lo posible por mantener mi expresión neutral y mi cuerpo relajado, mientras que en realidad soy un manojo de nervios a punto de explotar.

Roman Petrov, el *Pakhan* de la *Bratva*, está sentado tranquilamente detrás del escritorio al otro lado de la habitación y me sigue con la mirada. Lleva una camisa de vestir hecha a medida, del mismo tono que su pelo negro como la tinta, con las mangas dobladas hasta los codos.

Hay una sonrisa apenas visible en su rostro, y no necesito un manual de *Pakhan para tontos* para saber que no es una buena señal.

—Sergei —murmura sin quitarme los ojos de encima—. Me gustaría hablar a solas con nuestra invitada, por favor.

Sergei coloca su mano en mi antebrazo.

—¿Estás de acuerdo con eso?

¡Ja!, como si tuviera opción.

—Seguro. —Sonrío.

Sergei asiente, luego se vuelve hacia Roman y lo señala con el dedo.

—No la asustes —dice y se va, cerrando la puerta detrás de él.

Petrov me mira, y la sonrisa maliciosa en su rostro crece un poco más.

—Es bueno conocerla finalmente, señorita Sandoval —dice—. Por favor siéntese.

Mis piernas se sienten como si estuvieran atrapadas en cemento mientras doy unos pasos hacia la silla frente a él y me dejo caer sobre ella.

—¿Necesitaba hablar conmigo, Señor Petrov? —pregunto.

—Necesito que empieces a hablar.

Suspiro y cierro los ojos por un segundo. Nadie en su sano juicio le mentiría al líder de la mafia rusa.

—¿Qué quieres saber?

—Empecemos con qué diablos estabas haciendo atrapada en el cargamento de drogas de los italianos.

—Era la única forma de alejarme de Diego Rivera —confieso.

—¿Qué tiene que ver Diego con esto?

—Hace dos semanas, vino a nuestro recinto con el pretexto de hablar de negocios con mi padre. Fueron socios durante años, por lo que no era raro, y nadie sospechó nada, a pesar de que llegó con más hombres de lo normal. Mi padre lo llevó a su oficina. Poco después escuchamos los disparos.

Petrov se inclina hacia adelante, la sorpresa visible en su rostro.

—¿Diego mató a Manny? Pensé que había sido la policía quien lo mató.

—Esa es la historia que Diego les contó a todos.

—Siento lo de tu padre. No estábamos en los mejores términos, pero lo respetaba.

—Gracias.

—Entonces, Diego decidió hacerse cargo del negocio de tu padre, supongo.

—Sí. Y concluyó que los hombres y socios de mi padre lo aceptarían más fácilmente si yo estaba casada con él.

—Por supuesto que lo hizo. Entonces, ¿cómo terminaste en ese camión?

—Diego iba a enviar a una de las chicas con el cargamento, como regalo —explico—, yo tomé su lugar.

Petrov inclina la cabeza hacia un lado y luego se inclina hacia atrás.

—Está bien, digamos que creo esa historia. ¿Por qué mentiste cuando Sergei preguntó quién eras y qué pasó?

—Ustedes son socios de Diego. Si hubieras sabido quién era y que él probablemente me estaba buscando, me habrías enviado de vuelta. —Lo miro fijamente—. Preferiría morir antes que volver y casarme con el cerdo que mató a mi padre.

—Entonces, ¿cuál era tu plan?

—No tenía ninguno. Mi objetivo principal era salir de México y llegar a los Estados Unidos. Tengo amigos aquí que me habrían ayudado. Planeé contactar a uno de los socios de mi padre para que me ayudara a obtener documentos para poder acceder a mis cuentas y luego irme lo más lejos posible.

—¿Qué socio?

—Liam O'Neil.

—No creo que pedir ayuda a Liam O'Neil sea una buena idea, señorita Sandoval.

—¿Por qué no?

—Porque la información que tengo es que Liam y Diego comenzaron a trabajar juntos.

Maldigo interiormente. Ahí va mi plan para conseguir los documentos. ¿Qué voy a hacer ahora?

Petrov me mira con los ojos entrecerrados, probablemente preguntándose qué diablos debería hacer conmigo.

—Tengo una propuesta para ti —dice finalmente.

—¿Qué tipo de propuesta?

—Necesito ayuda con algo. Tú me ayudas y yo te consigo los documentos y cualquier otra cosa que necesites, y me aseguro de que Diego nunca te encuentre.

—¿Y si me niego?

—Te amarro con un listón y un moño y te envío de regreso a México.

—Entonces, ¿me estás chantajeando?

—Sí. Ha funcionado muy bien para mí en el pasado. —Sonríe—. Extorsioné a mi esposa para que se casara conmigo. Dos veces.

Pobre mujer. Probablemente la tenga atada en una habitación en algún lugar de la casa. Bastardo.

—¿Qué necesitas que haga?

—Nada especial. —Se encoge de hombros—. Quédate donde estás durante los próximos meses. Digamos que por seis meses, ese es mi período de chantaje favorito.

Lo miro.

—Lo siento, no entiendo.

—Necesito que te quedes con Sergei y sigas haciendo lo que has estado haciendo hasta ahora.

—No he hecho más que dormir, comer y deambular por la casa.

—Exacto. —Petrov sonríe—. Eso no suena difícil, ¿verdad? Piensa en ello como unas vacaciones improvisadas.

—Eso es ridículo. ¿Por qué quieres que me quede allí y no haga nada?

—Porque mi hermano parece tener una reacción inesperadamente positiva al tenerte allí.

—¿Tu hermano?

—Sergei es mi medio hermano.

Lo observo detenidamente. A simple vista, no se parecen en nada, pero ahora que lo menciona, puedo ver la similitud en las líneas de su rostro. Los pómulos afilados, la línea de la mandíbula, su complexión.

—¿Quieres que sea el perro de soporte emocional de Sergei? —pregunto, incrédula.

—¡Sí! —Golpea la mesa frente a él con su mano, riendo—. Un perro de soporte emocional. Ni yo mismo no podría haberlo dicho mejor.

—Eso es... una locura.

—Felix no lo cree así. Dice que te las has arreglado para sacar a Sergei de sus episodios. Dos veces.

—Yo no hice nada. Solo balbuceé algunas tonterías. Cualquiera puede hacer eso.

—¿Sabes qué pasó la última vez que alguien se acercó a Sergei mientras estaba en ese estado, señorita Sandoval? El hombre terminó en una UCI durante un mes. —Se levanta, toma el bastón apoyado contra el escritorio y viene a pararse frente a mí—. Tú ayudas a mi hermano y yo te ayudo.

—¿O me van a enviar de vuelta a Diego?

—Con un moño. —Sus labios se ensanchan en una sonrisa maliciosa.

—No es como si tuviera opción, ¿verdad? —suspiro.

El hecho de que no encuentro la idea de quedarme repulsiva debería ser seriamente preocupante. Lo del síndrome de Estocolmo fue acertado—. ¿Le pasó algo a Sergei? ¿Por qué tiene esos episodios?

Petrov aprieta los dientes, se vuelve hacia el conjunto de cajones a su derecha y saca una carpeta amarilla gruesa, que arroja sobre el escritorio frente a mí.

Jalo la carpeta hacia mí, la abro y empiezo a hojear la pila de papeles. Hay fechas en cada esquina, desde hace once años. El último tiene cuatro años. Al principio, no entiendo lo que estoy mirando. Parece que son una especie de informes, pero la mayor parte del texto está tachado y solo se pueden leer partes de oraciones aquí y allá. Una cosa que es común en todos los documentos es la firma en la parte inferior. Felix Allen.

—¿Qué es todo esto? —pregunto, tratando de captar el significado. Veo algunos lugares en la lista, principalmente en Europa, pero también hay algunos en los EE. UU. y Asia—. Casi todo está tachado.

—Los informes sobre misiones de operaciones encubiertas suelen estarlo.

Mi cabeza se levanta.

—¿Sergei era de operaciones encubiertas?

—Una unidad secundaria. Un proyecto experimental en el que tomaban a adolescentes que nadie extrañaría, generalmente sin hogar, y los entrenaban para que se convirtieran en agentes de las misiones del gobierno.

Miro la pila de documentos, vuelvo a la primera página y miro la fecha.

—¿Qué edad tiene Sergei?

—Veintinueve.

Hago un cálculo rápido.

—Esto significa que comenzó a trabajar para ellos a los dieciocho.

Roman señala los documentos.

—Esos son de cuando empezaron a enviarlo a las misiones. Se llevaron a Sergei cuando tenía catorce años.

Miro a Petrov. Eso no es posible.

—¿Qué hizo exactamente para el gobierno?

—Todo lo que necesitaban que no podían lograr usando los canales regulares. Pero, sobre todo, la eliminación de objetivos de alto nivel —explica.

Escalofríos recorren mi espalda.

—Quieres decir...

—Sergei es un asesino a sueldo profesional, señorita Sandoval.

Lo miro boquiabierta por unos momentos, luego bajo mis ojos de nuevo a la carpeta frente a mí. Hay docenas de informes allí. El hombre que ha estado bromeando conmigo, que me cargó porque estaba cansada, que me compró nueve jabones corporales diferentes porque no sabía qué aroma me gustaría... quien salvó mi vida... ¿es un asesino profesional?

Petrov se inclina, toma la carpeta de mis manos y la guarda en el cajón.

—No es mi intención asustarte, no obstante, necesito que entiendas a lo que te enfrentas. No creo que Sergei te haga daño, especialmente después de lo que me dijo Felix, pero si sucede algo que te haga pensar que está perdiendo la cabeza por completo, debes retirarte de inmediato. ¿Lo entiendes?

—Sí.

—¿Lo entiendes? ¿De verdad? —Entrecierra sus ojos hacia mí—. No lo tomes a mal, pero no pareces alguien que pueda lidiar con toda la mierda de Sergei.

—¿En serio? —Levanto una ceja—. ¿Y cómo me veo, exactamente?

—Como una bibliotecaria. Solo te faltan los anteojos.

—Qué casualidad. —Cruzo los brazos sobre mi pecho—. Solicité un puesto de bibliotecaria en la Universidad de Atlanta hace dos meses. Sin embargo, todavía estoy esperando su respuesta.

—¿Me estás jodiendo?

—*Nop.*

Suspira y se aprieta las sienes.

—Perfecto. Acabo de contratar a una maldita bibliotecaria para vigilar a un asesino entrenado.

—Eso parece.

—Bueno, es lo que es. —Niega con la cabeza—. Habrá una fiesta de recaudación de fondos el próximo fin de semana, y Sergei tendrá que ir en mi lugar. Irás con él.

—Yo no voy a fiestas.

—Ahora lo harás. Habrá mucha gente importante allí y necesito que Sergei se comporte. Nunca pierde el control cuando está haciendo negocios, sin embargo, no quiero arriesgarme.

—Ni siquiera sé cómo caminar con tacones.

—Entonces usa zapatos sin tacón. —Me inmoviliza con la mirada, lo que claramente dice que la discusión ha terminado—. Si tienes preguntas, habla con Felix.

—¿Planeas compartir nuestro acuerdo con Sergei?

—No. Le diré lo que me contaste y le informaré que acordamos que te vas a quedar hasta que se resuelva la situación con Diego.

—De acuerdo. Aunque tengo un favor que pedirte.

—Te escucho.

—Mi nana se quedó en la propiedad en México. ¿Puedes tratar de obtener alguna información sobre ella? Para ver si... —Respiro profundamente—. ¿Si está viva? Temo que Diego la haya matado porque me ayudó a escapar.

—¿Su nombre?

—Guadalupe Perez.

—Si está viva, ¿quieres que intentemos traerla aquí?

—Sí.

Asiente y extiende su mano.

—Ayuda a mi hermano. Y yo te consigo tus papeles y a tu nana.

Observo su mano por un momento, sintiendo que estoy haciendo un trato con el diablo, luego la tomo. Nos damos la mano y empiezo a alejarme, pero sus dedos aprietan fuertemente mi mano.

—Si no cumple con su palabra —se inclina hacia adelante hasta que su cara está justo frente a la mía—, más vale que rece para que Diego Rivera la encuentre antes que yo, señorita Sandoval. —Suelta mi mano y asiente hacia la puerta—. Vamos a buscar a Sergei. Te acompañaré fuera.

Cuando salimos de su oficina y nos dirigimos por el pasillo, las grandes puertas dobles del otro lado se abren de golpe y una mujer pequeña de cabello oscuro sale corriendo, sosteniendo una olla en sus manos. Nos ve venir y corre hacia nosotros con los pies descalzos.

—¡Roman! ¡Ayuda! —exclama cuando la puerta detrás de ella se abre de nuevo y un hombre corpulento y barbudo con un delantal de cocinero sale. Grita algo en ruso, arroja un trapo de cocina al suelo, con frustración aparente en su rostro, luego se da vuelta y regresa dando fuertes pisotones a lo que supongo que es la cocina.

La mujer nos alcanza, riendo todo el camino, y se detiene frente a Petrov.

—¿Quieres un poco de salsa boloñesa, *kotik*? —inquiere sonriente.

¿Kotik? Parpadeo. Significa *gatito* en ruso. ¿Acaba de llamar gatito al *Pakhan* ruso?

—¡Dame eso! —Petrov brama y le quita la olla de las manos—. ¿Qué te he dicho sobre cargar cosas pesadas y correr?

—¡Son cinco libras, como máximo! —Ella se estira para agarrar la olla, pero Petrov levanta su brazo, manteniéndola fuera de su alcance.

—Angelina, esta es mi esposa. —Nos presenta, y miro a la mujer frente a mí que en este momento está saltando, tratando de alcanzar la cazuela.

—Deja de saltar, maldita sea —espeta Petrov—, le darás una contusión cerebral a mi hijo.

—¡Ladrón! —Frunce su nariz, lo pellizca en las costillas, luego se vuelve hacia mí y me ofrece su mano, sonriendo—. Soy Nina.

No parece alguien que fue chantajeada para casarse.

—Gracias por la ropa. —Eso es lo único que se me ocurre decir.

—Cuando quieras. —Me guiña un ojo y comienza a decir algo más cuando la puerta principal se abre y un hombre mayor con traje entra corriendo.

—¿Maxim? ¿Qué pasó? —pregunta Petrov.

—Giuseppe Agostini tuvo un infarto. Murió hace media hora.

—¡Maldición! —brama Petrov y le pasa la olla al tipo

mayor—. Trae a Sergei. Los quiero a los dos en mi oficina en cinco minutos.

Sergei

Me concentro en el cuadro que cuelga en la pared opuesta y trato de dominar la necesidad de salir corriendo de la habitación y buscar a Angelina. Tan pronto como Roman escuchó que el jefe de la *Cosa Nostra* había muerto, nos ordenó a Maxim y a mí que fuéramos a su oficina para discutir nuestros siguientes movimientos en lo que respecta a los italianos. No obstante, ha sido difícil seguir la conversación con Angelina aún sin estar a mi lado.

Sentado en la silla a mi lado, Maxim dice:

—Agostini no tiene hijos. Creo que el sucesor más probable es Luca Rossi. Si eso sucede, ¿crees que honrará la tregua que hicimos con el Don?

—Solo lo he visto dos veces. Es un comodín. —Roman coloca su mano sobre la mesa y comienza su agitado hábito de tamborilear con los dedos—. A Rossi le gusta más el tráfico de armas que de drogas, pero eso podría cambiar si se convierte en Don. Tendrá que ir con lo que quiere la mayoría de la familia *Cosa Nostra* de Chicago.

—¿Planeas reunirte con él?

—Esperemos a ver qué sale primero de esta tormenta de mierda. Continuaremos con nuestro negocio como de costumbre, pero, Maxim, envía a alguien para que vigile a los italianos —ordena Roman y se vuelve hacia mí—. Hay una recaudación de fondos para niños sin hogar el próximo fin de semana. Necesito que vayas y dejes un cheque grande y gordo.

No quiero que las autoridades de la ciudad nos estorben durante el siguiente mes más o menos. ¿Puedes encargarte de eso, o debo enviar a Kostya? Maxim y yo estamos atrapados manejando el transporte hasta que Mikhail regrese.

—Kostya solo terminará follándose a la esposa de algún oficial en el baño. Yo iré. —Asiento con la cabeza.

—Bien. El evento requiere un acompañante. Angelina irá contigo.

—Roman, no estoy seguro de que eso sea inteligente —agrega Maxim—. ¿Qué pasa si alguien la reconoce?

—Hasta donde yo sé, los miembros del cártel no frecuentan las fiestas de recaudación de fondos de nuestro gobierno —comenta y se vuelve hacia mí—. Llevarás a tu princesa del cártel contigo. Y asegúrate de comportarte. —Me señala con el dedo—. No se permiten armas allí.

—Seguro. ¿Eso es todo? —No puedo soportar esto más. Tengo que ir a buscar a Angelina o voy a perder la cabeza delante de mi hermano. Sé que no le pasará nada mientras esté en la casa de Roman porque este lugar está mejor protegido que El Fuerte Knox. El hecho de que mi miedo sea completamente irracional no hace nada para disminuir la presión.

—Sí.

—Entonces me voy. —Me cuesta mucho controlarme para no salir corriendo de la maldita oficina y por el pasillo.

Encuentro a Angelina en el salón, recostada en uno de los grandes sillones reclinables, mientras Nina está sentada en el suelo frente a ella y dibujando algo en una hoja de papel. Nina se pone nerviosa cuando está cerca de mí, así que, en lugar de entrar, me quedo en la puerta y observo a Angelina jugar con un mechón de su cabello, envolviéndolo alrededor de su dedo. Recuerdo que una vez lo tuvo largo. Ella mira hacia arriba, y cuando se da cuenta de mi presencia, una mirada extraña cruza su rostro, pero desaparece al siguiente instante.

—¿Lista para volver? —pregunto.

—Seguro. —Se pone de pie y se vuelve hacia Nina—. ¿Puedo ver?

—Por supuesto que no. Es solo un boceto. Verás el resultado final cuando lo termine. —Nina esconde el papel detrás de su espalda y me mira—. ¿Roman está en la oficina?

—Sí. Y está excepcionalmente malhumorado. —Me inclino hacia delante, tomo la mano de Angelina y la presión en mi pecho disminuye.

—¿De qué quería hablar Roman? —indago en el momento en que estaciono la motocicleta frente a mi casa.

—Quería que aclarara lo que estoy haciendo aquí —suspira—. No parecía prudente seguir mintiendo, así que solté la sopa. Le dije que me escapé de Diego Rivera. Y Petrov prometió que no me devolverá con él.

—¿Qué tiene que ver Diego con esto?

—¿Aparte de matar a mi padre? Bueno, me encerró en mi habitación y comenzó a preparar nuestra boda.

Siento que mi cuerpo se queda paralizado.

—¿Diego mató a tu papá?

—Así es, lo mató, tomó el cargo de su negocio y decidió casarse conmigo a la fuerza.

La imagen de Diego Rivera tocando a Angelina con sus manos asquerosas llena mi mente, y el zumbido familiar comienza a llenar mis oídos.

—¿Te hizo algo?

—No, él no me hizo na... ¿Sergei?

Su mano agarra mi antebrazo, y me calma un poco. Por alguna razón, mis demonios tienen miedo de asustarla, así que se retiran cuando ella está cerca.

—Sergei, mírame. —Un toque de su mano cálida roza mi cuello, luego mi cara—. Por favor, no me dejes. ¿Sergei?

Parpadeo, y el rostro de Angelina está frente al mío, sus manos presionan ambos lados de mi rostro y sus grandes ojos oscuros me observan fijamente.

—¿Has vuelto? —susurra.

—Ya estoy de vuelta. —Mierda. Cierro mis ojos—. ¿Y ahora qué? ¿Planeas irte?

No la dejaré ir, aunque ella diga que sí.

—Tu *Pakhan* dijo que sería prudente si espero hasta que veamos cómo se desarrolla la situación con Diego.

—Bien. Te vas a quedar aquí.

—¿Todavía no estás harto de que usurpe tu habitación? —Sonríe.

—No. —Tomo su mano y la guío a la casa—. Veamos qué basura ha preparado Albert para el almuerzo.

Capítulo *diez*

Angelina

Levanto la vista del libro que he estado leyendo para seguir a Sergei con la mirada mientras toma un cambio de ropa del armario y entra al baño. El sonido del agua corriendo me llega un minuto después. El otro dormitorio no debe tener baño. Trato de recordar si alguna vez lo he visto entrar allí y no puedo.

Coloco el libro en la mesita de noche, me levanto de la cama y salgo de la habitación, caminando alrededor de Mimi, que está durmiendo en medio de la alfombra. La puerta del otro extremo del pasillo está abierta, así que la abro y miro alrededor del espacio casi vacío. Hay una cómoda en un extremo, dos sillas que no combinan en la otra esquina y una pila de cajas cerca de la ventana. No hay cama. Un saco de dormir verde militar está extendido en el suelo, con una manta doblada y una almohada encima.

Vuelvo al dormitorio de Sergei y me apoyo contra el librero, de frente a la puerta del baño y espero a que salga. El agua se cierra y la puerta se abre. Con pantalones deportivos y una camiseta, Sergei sale mientras se seca el cabello con una toalla.

—¿Dónde has estado durmiendo desde que llegué?

Se detiene a medio paso y me mira.

—En la otra habitación. ¿Por qué?

—Allí no hay cama. ¿Has estado durmiendo en el suelo todo este tiempo?

—Es un buen piso. He dormido en lugares peores. —Se encoge de hombros como si no fuera nada.

—No puedes dormir en el piso de tu propia casa. —Suspiro—. ¿Quieres que busque un hotel?

—No vas a ir a un hotel. Te quedas justo donde estás.

—Pero...

—Sin peros. Te quedas aquí.

—Entonces, dormiré en el sofá de abajo.

Da unos pasos hasta que está justo frente a mí, pone su dedo en mi barbilla y levanta mi cabeza.

—No vas a dormir en el sofá, Angelina. Y no te preocupes, no duermo mucho.

—¿Cuánto duermes?

—Tres horas. Tal vez cuatro.

—Nadie puede funcionar durmiendo tan poco.

—Bueno, no funciono tan bien de todos modos. Como probablemente ya habrás notado. —Se ríe, pero no lo encuentro divertido. Necesita ayuda. Su dedo en mi barbilla comienza a moverse a lo largo de mi mandíbula, luego sobre mi cuello hasta que su mano termina en mi nuca—. Roman me ordenó que fuera a algún maldito evento para recaudar fondos mañana —agrega—. Y vendrás conmigo.

—Me informó. ¿Vamos a ir en motocicleta?

Es realmente difícil concentrarse en la conversación

porque con cada palabra, la cabeza de Sergei se inclina ligeramente, su boca se acerca más y más.

—No estoy seguro de que andar en motocicleta con un vestido de noche sea inteligente.

—No tengo ningún vestido formal aquí.

Su cabeza se inclina aún más, mientras sus dedos se entrelazan en el cabello de la base de mi cuello, apretando y convenciéndome para que incline la cabeza hacia arriba.

—Vamos a comprar uno mañana. —Su voz es profunda, más ronca de lo normal, y sus labios rozan los míos mientras habla, aunque solo por una fracción de segundo.

—¿Cómo te pagaré? Ahora mismo no tengo dinero.

Me mira, luego cierra la distancia entre nosotros cuando sus labios chocan con los míos. Es como el trueno y el relámpago. Duro, inesperado, ensordecedor y cegador. No hay tiempo para pensar en lo que estoy haciendo, y no tengo la voluntad de resistirme, así que no lo hago. Agarro la tela de su camiseta y me pongo de puntillas, tratando de acercarme más. La mano de Sergei aprieta la parte de atrás de mi cuello, su otra mano acaricia la parte baja de mi espalda, presionándome más fuerte contra su cuerpo mientras ataca mi boca.

No es suficiente. Hay una torre de libros en el suelo en alguna parte. No podía decidir qué leer. Doy un paso a la izquierda. ¿Dónde está esa jodida pila de libros por leer cuando la necesito, maldita sea? ¿Por qué no puedo ser más alta? La boca de Sergei deja la mía y procede a dejar un rastro de besos a lo largo de mi mandíbula y cuello. Tomo aire y tiro de su camisa aún más cuando una sensación de hormigueo comienza a construirse entre mis piernas. Lo necesito más cerca. Los dedos de mis pies golpean algo sólido. ¡Sí! Me subo a la torre de libros de tapa dura que amontoné en el suelo y envuelvo mis brazos alrededor del cuello de Sergei. Mi boca encuentra la suya de nuevo. La mano en mi espalda se mueve más abajo para apretar mi trasero, luego recorre mi cadera hasta llegar al frente de mis *jeans*. Desliza la palma de su mano hacia abajo y agarra mi sexo sobre la tela, presionando la costura de mezclilla en mi centro.

—¡Sergei! —Felix grita desde algún lugar de la casa.

¡Maldición ahora no! Agarro el cabello de Sergei, tratando de evitar que sus labios se separen de los míos mientras siento que me humedezco más y más. Comienza a rozar su palma entre mis piernas, adelante y atrás. Y creo que me voy a incendiar por sus caricias.

—¡Sergei! —Otra ronda de gritos viene desde abajo—. Tu hermano te envía saludos con una descripción extremadamente vívida de cortarte la cabeza y metértela en el ano si no contestas tu teléfono.

Mis ojos se abren de golpe y observo a Sergei. Todavía tiene su mano entre mis piernas. Mientras lo miro a los ojos, vuelve a presionar mi coño frustrado y un pequeño gemido sale de mis labios.

—Eso. —Sonríe y muerde ligeramente mi labio inferior—. Considera el vestido pagado en su totalidad.

Sus manos desaparecen de mi cuerpo, y al momento siguiente se ha ido, dejándome en medio de la habitación, de pie sobre una variedad de libros de tapa dura de Dostoievski encuadernados en cuero genuino, con mis bragas completamente empapadas.

A la mañana siguiente, encuentro a Felix tanteando un enchufe eléctrico encima de la estufa. Me mira, luego reanuda lo que estaba haciendo.

—¿Sergei está fuera? —inquiero y me siento en la mesa del comedor.

No he salido de la habitación desde ayer por la noche, tratando de evitar a Sergei hasta que logré procesar el significado de ese beso... o todo el encuentro. Pensar en ello no ayudó mucho. Todavía no puedo decidir si debo ignorarlo por completo y fingir que nunca sucedió, o saltar sobre él la próxima vez que lo vea. Mi cerebro dice lo primero. Mi cuerpo quiere esto último.

—Está paseando a Mimi —explica Felix por encima del hombro—. Escuché que te vas a quedar. ¿Roman habló contigo ayer?

—Sí. —Asiento y alcanzo la jarra de jugo en la mesa—. Creo que deberíamos hablar.

—¿Acerca de?

—Sobre esos episodios que tiene Sergei. Necesito saber con qué estoy lidiando.

Felix deja el destornillador en el mostrador, se gira y me clava la mirada.

—Estás lidiando con el resultado de lo que sucede cuando tomas a un niño no violento y lo conviertes a la fuerza en un asesino a sangre fría. —Coloca sus manos sobre el mostrador, agarrando su borde, y mira hacia la ventana.

—Sergei era un niño normal. Amado. Pero luego su madre murió cuando solo tenía doce años, y lo enviaron a un hogar de acogida y luego a un hogar grupal. Hubo algunas peleas, pequeños robos, nada que no fuera inesperado de un niño en su situación. Acabó en un reformatorio después de que él y sus amigos intentaran robar un auto. Ahí fue donde Kruger lo encontró.

—¿Kruger?

—El hombre a cargo de la Unidad Proyecto Z.E.R.O. Lo acogieron y lo pusieron en entrenamiento. Yo era un supervisor allí. Desde el momento en que vi a Sergei, supe que no era un buen candidato. No era agresivo ni violento, y no tenía ganas de lastimar a nadie ni de destruir cosas como algunos de los otros niños que se llevaron. —Se gira para mirarme—. Traté de enviarlo de vuelta y fracasé. A Kruger le gustaba demasiado. Sergei era increíblemente ágil y siempre obtenía los mejores resultados durante los exámenes físicos. También hablaba perfectamente inglés y ruso, así como español. A Kruger le gustó mucho eso. La fluidez en varios idiomas es muy útil en nuestro negocio.

—¿Ayudabas a convertir a los niños en asesinos? —Lo miro con asco—. ¿Qué tipo de persona hace eso?

—Una persona que trabaja para el gobierno. —Suspira y niega con la cabeza—. No estoy orgulloso de algunas de mis elecciones, Angelina, pero he hecho todo lo posible para corregir mis errores tanto como es posible.

Camina hacia el tazón de frutas en la mesa, toma una manzana y comienza a rodarla en su mano, aparentemente concentrado en una sola imperfección que estropea su piel amarilla, por lo demás perfecta.

—Noté por primera vez señales de que algo no estaba bien después de que Sergei regresara de una misión en Colombia —continúa—. Durante las misiones de campo, su desempeño fue impecable. Sin embargo, cuando regresaba, simplemente se sentaba y miraba frente a él durante horas. Físicamente estaba allí, pero mentalmente, estaba lejos. Una vez, uno de los muchachos de su unidad se topó con él mientras Sergei estaba en ese estado. No estoy seguro de qué pasó exactamente, aunque asumo que el tipo intentó pinchar a Sergei con el cuchillo que encontramos junto a su cuerpo más tarde.

—¿Qué pasó?

—Sergei le rompió el cuello —responde—. Empeoró después de eso. Comenzó a ponerse violento cada vez que alguien se le acercaba durante uno de sus episodios. También comenzó a tener problemas para diferenciar las misiones de campo de las situaciones cotidianas.

—¿Cómo así?

—La mayor parte del entrenamiento de la Unidad Z.E.R.O., consistió en extinguir cualquier rastro de empatía o conciencia en los agentes, haciendo que se concentraran en completar la misión sin importar nada. Algunas misiones, generalmente aquellas que involucraron objetivos de alto perfil, resultaron en daños colaterales significativos.

—¿Qué tipo de daño colateral? —cuestiono mientras el temor comienza a construirse en el fondo de mi estómago.

—Si una determinada persona necesitaba ser eliminada, y la única forma de hacerlo era volar la mitad del edificio, se consideraba aceptable. Esas situaciones eran raras, pero ocurrieron. Sergei realizó las misiones sin fallar, pero luego, su comportamiento se volvía extremo cuando estaba fuera del campo. Una vez, vio a un hombre maltratando a una mujer de la calle y lo destripó en el acto. No sintió que hubiera hecho algo malo. En su mente, neutralizó la amenaza y eso fue todo.

—Petrov dijo que eventualmente lograste sacarlo.

—Sí, no obstante, ya era demasiado tarde. Cuando Sergei empezó a perder los estribos con más frecuencia, usé algunas influencias para que nos liberaran. Me puse en contacto con Roman poco después. No tenía idea de que tenía un hermano. Sin embargo, Sergei sabía sobre Roman. Su madre le dijo que Lev Petrov era su padre y que tenía un medio hermano. Pero Sergei nunca quiso tener nada que ver con Lev o Roman. Tuve que hacerlo a sus espaldas, y casi me estrangula cuando se enteró.

—¿Y por qué nadie ha intentado conseguirle ayuda? ¿Terapia? ¿Cualquier cosa?

—Sergei no es solo un asesino entrenado, Angelina. Es un arma gubernamental del más alto nivel. En el mejor de los casos, Sergei terminaría drogado y encerrado en alguna institución. —Me mira, apretando la manzana en su mano—. El peor escenario sería que el gobierno lo neutralizara en el momento en que lo atraparan. Sergei sabe demasiado, pero mientras sea parte de la *Bratva,* no lo tocarán. Roman paga mucho dinero por debajo de la mesa para que miren hacia otro lado.

—¿Alguien ha tratado de ayudarlo? ¿O todos simplemente se hacen ciegos y esperan un milagro? —Lanzo mis manos al aire con frustración—. Se calmó y volvió cuando hablé con él. Tal vez solo necesita saber que alguien está ahí para él, maldita sea.

—Mataría a cualquiera que se le acerque cuando está en ese estado, Angelina. —Felix mira al suelo—. No sé por qué reacciona de la manera en que lo hace cuando está cerca de ti. Llevo quince años con él y no me atrevo a acercármele cuando está fuera de sí. Es posible que hayas despertado en él algún instinto protector. Cuando te trajo aquí esa noche, no permitió que nadie se te acercara. Apenas logramos convencerlo de que dejara que el médico te revisara y que Varya te bañara.

—¿Crees que puede mejorar?

—No lo sé. —Se encoge de hombros—. Aunque debes tener una cosa en mente. Si tengo razón, y Sergei por alguna razón piensa que necesita protegerte, no será razonable.

—¿Qué quieres decir?

—Quiero decir, matará a todas las personas que sienta que pueden ser una amenaza para ti. Ya sea real o imaginario.

Capítulo *once*

Sigo a Angelina con la mirada mientras sale del vestidor cargando una pieza de seda para colocarlo en el mostrador frente a mí.

—¿Dorado? —pregunto.

—Sí. Se ve más glamuroso. Tengo que compensar el hecho de que usaré zapatos sin tacón.

—¿No eres una chica de tacones?

—No. Regina, mi amiga de la universidad, una vez me convenció de usar sus sandalias de cuatro pulgadas de alto cuando salimos. Casi me rompo el cuello.

Sonrío y le doy mi tarjeta a la cajera, mientras Angelina se mueve inquieta a mi lado. Ha estado nerviosa todo el día, aunque finge que nada ha cambiado. Sigo esperando que mencione el beso de anoche, pero nada. Estaba más que dispuesta, y el beso fue tan inocente que no creo que tenga mucha experiencia. Por lo tanto, he tenido que resistirme a hacer más movimientos hacia ella hasta ahora.

Sin embargo, tan pronto como regresemos de esa maldita recaudación de fondos esta noche, continuaremos donde nos quedamos.

—Marlene te reservó una cita para que te arreglen o algo así —indico—. Iremos allí ahora.

—¿Me arreglen?

—Corte de cabello. Mascarillas en la cara. Depilación de cejas. Ese tipo de mierda.

Angelina resopla y niega con la cabeza. Me gusta la forma en que me mira, no recuerdo bien la última vez que alguien que no sea Felix me miró como si fuera un tipo normal. No esta persona jodida de la cabeza con la que todos sienten la necesidad de actuar con cautela.

—Llévame al salón de belleza, entonces. —Agarra la bolsa con el vestido—. No puedo esperar a ser depilada y untada con mascarillas.

Salimos de la tienda y, queriendo evitar la multitud, tomo un atajo hacia el estacionamiento y doblo hacia un callejón lateral. Un repartidor estaciona su motocicleta a cierta distancia frente a nosotros, toma una caja de la parte de atrás y se apresura en nuestra dirección. Al pasar junto a nosotros, tropieza con una piedra y choca con Angelina en el proceso.

Fue un accidente, lo sé. Apenas la tocó, pero mi cerebro descarta por completo ese hecho y, como por voluntad propia, mi mano arremete contra él y lo agarra por la mandíbula. La caja que sostenía cae al suelo. El tipo jadea, sus ojos se abren completamente. Sus manos arañan mis dedos, tratando de liberarse de mi agarre.

—Sergei...

Escucho que me llaman por mi nombre, aunque se

siente como si viniera de algún lugar lejano. Lo ignoro e inclino la cabeza hasta que estoy cara a cara con el imbécil que lastimó a mi chica. Debe morir. Muevo mi mano más abajo hasta que mis dedos están envueltos alrededor de su cuello y empiezo a apretar.

—Sergei... —Una pequeña mano aterriza sobre la mía y roza mis dedos ligeramente—. Déjalo ir.

No. Él la lastimó. Exhalo por la nariz y aprieto con más fuerza, disfrutando la forma en que los ojos del tipo casi se le salen de la cabeza mientras lucha por respirar. Podría haberle partido el cuello, pero hubiera sido demasiado fácil. Agrego un poco más de presión. El tipo empieza a ahogarse.

La mano de Angelina desaparece de la mía y, en mi visión periférica, la veo correr hacia la caja que el tipo dejó caer y empujarla hacia mí. Quiero preguntarle qué diablos está haciendo con esa cosa, sin embargo, no puedo obligarme a soltar la garganta del tipo. La necesidad de acabar con la amenaza que representa es demasiado fuerte, así que aprieto un poco más. Angelina empuja la caja en algún lugar detrás de mí y desaparece de mi vista. Pongo mi otra mano en el cuello del tipo, con la intención de rompérselo, mientras algo grande aterriza en mi espalda. Jadeo por aire. Los brazos se envuelven alrededor de mi cuello desde atrás y las piernas alrededor de mi cintura, apretándome.

—Sergei —susurra Angelina en mi oído, su aliento abanicando mi piel—. Mírame. Por favor.

Tomo una respiración profunda. Luego otra. Angelina aprieta sus brazos y piernas más fuerte a mi alrededor.

—Por favor, mírame, grandulón.

El calor de su cuerpo se filtra en mi espalda, su aliento

roza mi oreja y luego un beso cae a un lado de mi cuello. Estoy tratando de concentrarme en el tipo que estoy sosteniendo, pero su cercanía me distrae.

—No puedo sostenerme así por mucho más tiempo, Sergei —advierte mientras su agarre alrededor de mi cuello se afloja un poco.

Suelto al hijo de puta y la agarro por debajo de los muslos, salvándola de caer.

—¿Cómo diablos terminaste allí? —pregunto, manteniendo mis ojos en el repartidor arrodillado en el suelo frente a mí, tosiendo.

—Subí a la caja —dice junto a mi oído—. Entonces salté sobre tu espalda.

—¿Por qué?

—¿Por qué no? —Se ríe.

Giro la cabeza hacia un lado, chocando su nariz con mi mejilla.

—¿Por qué no? —repito y me río—. Bueno, supongo que eso es tan bueno como cualquier otra razón.

—Voy a llegar tarde a mi cita con mascarillas pegajosas —agrega y aprieta sus piernas alrededor de mi cintura—. ¿Podemos ir al salón de belleza ahora?

Miro al tipo, que todavía está jadeando.

—Mira por dónde vas la próxima vez.

Asiente rápidamente, mirándome. Camino alrededor de él y me dirijo por el callejón.

—¿Te vas a bajar? —inquiero mientras camino.

—No. Me gusta estar aquí arriba.

—Está bien. —Me agacho y recojo la bolsa con su vestido que se me cayó antes.

Tomo mi teléfono y veo las noticias. No puedo concentrarme, así que tiro el celular en el tablero y miro a la entrada del salón. Tres horas y media. ¿Qué diablos le han estado haciendo durante tres horas y media?

La chica que se llevó a Angelina adentro me dijo que tomaría un buen tiempo, que debía ir a caminar y regresar más tarde. Salir estaba fuera de discusión, por supuesto, así que me senté en la sala de espera junto a una mujer mayor con pedazos de papel de aluminio sobresaliendo de su cabello y jugueteé con mi teléfono. Poco después, otra mujer entró tambaleándose desde una de las habitaciones, caminando sobre sus talones con una mierda espumosa rosada entre los dedos de los pies. Parecía doloroso. Vino a sentarse a mi otro lado, me miró y comenzó una conversación con la mujer a mi derecha. Cuando la conversación cambió de productos para el cabello a recetas caseras para el estreñimiento, decidí que ya era suficiente y vine a esperar en el auto. Eso fue hace tres horas.

¿Y si Angelina cambió de opinión y decidió escaparse? No puedo decir que la culparía. Cualquiera en su sano juicio huiría de un lunático, así que tal vez decidió que estaría más segura lejos de aquí.

Estuve vigilando la entrada todo el tiempo, pero tal vez tengan una salida trasera. Mierda. Bajo del auto y me apresuro a entrar en el salón justo cuando Angelina emerge del pasillo del lado izquierdo y el pánico que se ha estado acumulando se disipa.

—¿Entonces? ¿Qué opinas? —Mueve su cadera y levanta las cejas.

La miro. Aparte de su cabello, que está un poco más corto y liso, me parece que se ve igual. Incluso cubierta de lodo era hermosa, así que no estoy seguro de que espera que le diga. Supongo que después de soportar tres horas y media de tormento, necesita confirmación de un trabajo bien hecho o algo así.

—¿Me gusta el cabello?

Angelina suspira y niega con la cabeza.

—Eres una causa perdida.

—¿Qué querías que dijera? —pregunto mientras le pago a la asistente del salón.

—¿Lo increíble que me veo?

—Te veías increíble antes de que viniéramos aquí. ¿Qué has estado haciendo allí durante casi cuatro horas? ¿Estabas viendo Netflix?

Ella inclina la cabeza hacia un lado y hace un puchero.

—Tienes una forma interesante de hacer cumplidos.

—Solo estaba haciendo una observación. —Me encojo de hombros, tomo su mano y me dirijo al auto—. Deberíamos apresurarnos. A esos engreídos hijos de puta no les gusta que la gente llegue tarde a sus eventos.

—¿Y cuál es el propósito de este evento?

—Roman está sobornando a los funcionarios de la ciudad.

—¿En público? —Me mira boquiabierta.

—También da dinero por debajo de la mesa, aunque también le gusta hacer donaciones públicamente. Él es *así* de presumido.

—¿Por qué no va él mismo?

—Venganza, probablemente. Dijo que no tiene tiempo

para eso, pero creo que todavía está enojado conmigo por... digamos, romper nuestras conexiones con los ucranianos.

—¿Qué hiciste?

La observo, preguntándome si debería decirle la verdad. Me está mirando con esos ojos color chocolate, esperando mi respuesta, y no puedo obligarme a decírselo. Angelina no es delicada como una flor. Debe saber cómo se llevan a cabo los negocios en nuestro mundo, sin embargo, no quiero que me tema.

—Solo cancelé el contrato —informo finalmente y le abro la puerta del auto.

Capítulo doce

Angelina

Miro alrededor del gran salón con los ojos muy abiertos, admirando los gigantescos candelabros de cristal y las decoraciones doradas en las paredes, luego me arreglo el vestido con timidez. Me siento completamente fuera de lugar aquí. Girándome, miro a Sergei, que está de pie a mi lado, observando a la multitud.

Normalmente lo veo con *jeans* y una camiseta, pero en este momento, lleva una camisa de vestir gris y un traje negro hecho a la medida que le queda como un guante. Se ve devastadoramente guapo.

—Dejemos el dinero y vámonos —murmura.

Caminamos hacia la mesa cubierta con un mantel de seda blanco y arreglos florales. Dos hombres con trajes caros están de pie junto a ella, hablando con un grupo de mujeres sonrientes con vestidos elegantes. Cuando nos acercamos, decido quedarme unos pasos atrás y observar a Sergei mientras les da la mano a los hombres. Intercambian algunas palabras, luego Sergei saca un sobre, que supongo que contiene un cheque, y lo coloca sobre la mesa frente a una mujer que recoge las donaciones. El hombre a su izquierda, un tipo bajito y calvo con un traje demasiado apretado en su barriga, sonríe y toca a Sergei en el hombro. Sergei asiente, inclina la cabeza y susurra algo al oído del hombre, y el tipo sonríe.

—¿Qué le dijiste? —pregunto cuando regresa Sergei.

—La cantidad escrita en el cheque.

—Por su sonrisa, asumo que fue una muy buena cantidad.

—Un millón.

Mis ojos se abren.

—*Wow.*

—Sí. Ser amable con las autoridades tiende a ser costoso. —Asiente hacia la salida—. Vámonos. Los políticos siempre me dan escalofríos. Cuando lleguemos a casa, podemos tomar la motocicleta e ir a dar un paseo.

Mientras cruzamos el pasillo, mis ojos se posan en un hombre que habla con una mujer en la esquina. Me parece vagamente familiar, pero no puedo ubicarlo. No debería conocer a nadie aquí. En su mayoría son funcionarios de alto nivel, no la gente con la que habría tenido contacto. Sacudo mi cabeza. Tal vez solo me recuerda a alguien. Estamos en la puerta cuando me golpea, y me detengo en seco.

—Mierda —musito.

—¿Qué pasa?

—¿Era Angelo Scardoni el que estaba en la habitación?

—Sí. ¿Por qué?

—Él visitó a mi padre unos días antes que Diego. Era algo sobre negocios. Yo estaba en el complejo, y él me vio al pasar. ¿Qué está haciendo aquí?

Sergei toma mi antebrazo y me gira para mirarlo.

—¿Te reconoció?

—No me parece. Estaba hablando con alguien.

Me observa durante unos segundos, luego saca las llaves del auto de su bolsillo y las coloca en mi mano.

—Espérame en el auto.

—¿Por qué?

—Necesito tener una pequeña charla con Scardoni.

Basado en la mirada asesina en sus ojos, no creo que planee solo hablar.

—No hay necesidad. Si me hubiera visto, probablemente habría dicho algo.

—No tomaré ese riesgo.

—¿Solamente hablarás con él?

—Sí.

—De acuerdo. —Asiento con la cabeza y lo observo mientras regresa al pasillo y luego sale.

Dentro del vehículo, paso unos veinte minutos configurando el teléfono que Sergei me dio antes de ir a la fiesta. Simplemente lo puso en mi mano y dijo que programó su número y el de Felix. Me sorprendió muchísimo. Supongo que ya no piensa que me daré a la fuga.

Estoy respondiendo al correo electrónico lleno de pánico de Regina, el onceavo consecutivo, asegurándole que estoy bien, cuando la puerta del conductor se abre y Sergei entra.

—Scardoni no te vio —informa y arranca el auto.

—¿Estás seguro?

—Ahora lo estoy. —Sergei sonríe.

Mientras retrocede, noto una figura masculina tambaleándose a través de la salida de servicio, sosteniendo su brazo alrededor de su cintura, y dirigiéndose a uno de los autos estacionados. Agarra la puerta del coche y mira en nuestra dirección.

—Por Dios, Sergei —espeto—. Dijiste que solo ibas a hablar con él.

—Hablamos. Dijo que le resultabas familiar. —Se encoge de hombros—. Lo convencí de que estaba equivocado. Ahora está absolutamente seguro de que nunca te vio.

—¿Es este tu *modus operandi* habitual?

Gira la cabeza para mirarme, estira la mano hacia mí y traza una línea a lo largo de mi barbilla.

—No. Si fuera cualquier otra persona, me habría deshecho de él. La única razón por la que todavía respira es porque es el cuñado de Mikhail.

—¿No crees que es un poco extremo?

Sergei detiene el vehículo frente a un lavado de autos cerrado, luego me agarra por la nuca y se inclina hacia mi cara.

—Eliminaré a cualquiera que pueda representar la más mínima amenaza para ti, Angelina. Si, aunque sea por un segundo, sospechara que te reconoció, estaría muerto.

—Sergei...

—Nadie. Amenaza. Tu. Seguridad —revira con firmeza—. ¿Entendido, Angelina? —Parpadeo, luego asiento—. Bien —dice, apretando mi cuello y chocando su boca contra la mía.

Tomo un respiro. Está usando esa colonia otra vez, la que jode mi cabeza. Agarrando sus hombros, me subo a su regazo y presiono mi centro contra el bulto de sus pantalones. En el momento en que siento su erección contra mi sexo que ya hormiguea, un escalofrío atraviesa mi cuerpo.

Sergei

Mi polla está tan dura que parece que va a explotar, y tener a Angelina frotándola con su sexo lo hace cien veces peor. Deslizo mis manos por su cuerpo, recojo la tela de su vestido con ambas manos y luego la subo hasta su cintura. Sujetando la parte posterior de su cuello con una mano, deslizo la otra entre nosotros y presiono mis dedos en sus bragas, encontrándolas completamente empapadas.

—Maldita sea, ya estás tan mojada para mí. —Muevo sus bragas a un lado y empujo mi dedo dentro de ella.

—Nos arrestarán. —Angelina jadea, luego gime cuando agrego otro dedo. Después, comienza a balancear sus caderas, montando mi mano.

—Mi zorrita codiciosa... —le susurro al oído y muerdo su lóbulo—. ¿Mi dedo es suficiente o quieres más?

—Más. —Respira y luego gime cuando pellizco su clítoris.

—No tengo un condón aquí, nena. Pero me hago pruebas regularmente. Estoy limpio.

—Uso anticonceptivos. Recibí la inyección el mes pasado. —Angelina me asegura, luego gime de nuevo.

Entierro mi rostro en su cuello, inhalo su aroma, y alcanzo el botón de mis pantalones justo cuando mi teléfono comienza a vibrar en el tablero. Luego comienza a sonar. Es la melodía *Gangsta's Paradise* de Coolio, el tono específico para las llamadas de Roman.

Mierda. Levanto mi cabeza del cuello de Angelina y alcanzo el móvil, manteniendo mi mano ocupada con su centro.

—¡Ahora no, Roman! —bramo y corto la llamada. Empieza a sonar de nuevo.

Empujo mis dedos más adentro de Angelina y contesto.

—¡Esa es la primera y la última vez que me cuelgas! —revira Roman—. ¿Entendiste?

—¿Qué pasa? —Coloco el teléfono entre mi hombro y mi barbilla, y procedo a masajear el clítoris de Angelina con mi pulgar, mientras deslizo los dedos de mi otra mano hacia adentro y hacia afuera.

—O'Neil acaba de llamar —informa Roman.

—Interesante. —Pellizco el clítoris de Angelina ligeramente y sonrío cuando gime—. ¿Qué quería el irlandés?

—Quiere reunirse. Esta noche. Tienen un trato con los rumanos para un cargamento de armas que terminó siendo más grande de lo esperado y querían ver si estamos interesados en unirnos al trato.

Las manos de Angelina encuentran la cremallera de mis pantalones de vestir. Se da cuenta de que no usé bóxers esta noche y libera fácilmente mi miembro. Cuando lo aprieta, apenas logro no venirme. Me inclino hacia adelante y lamo el arco de su hombro desnudo.

—Él sabe que les quitamos las armas a los albaneses —agrego y deslizo mi dedo fuera del coño de Angelina, cambio la llamada a altavoz y tiro el aparato en el asiento del pasajero. Tomando sus bragas, rasgo el material y arrojo el encaje negro en el asiento trasero. Agarrándola por debajo de su trasero, la levanto y me coloco en su entrada. Angelina se inclina, estrella sus labios contra los míos y baja lentamente sobre mi longitud, gimiendo mientras toma todo de mí. Su jadeo se hace más fuerte a medida que comienza a montarme, así que presiono en su boca el dedo que hace unos momentos tenía enterrado profundamente dentro de su sexo. Sus labios perfectos se cierran alrededor y comienza a chupar. Mi polla salta dentro de ella. Tengo que colgar el puto teléfono. Pronto.

Escucho a Roman decir algo más, pero ignoro sus divagaciones. Quitando mi mano de la boca de Angelina, pongo mi dedo sobre mis labios en señal de silencio. Cuando ella asiente, la tomo alrededor de su cintura, la levanto y luego la golpeo contra mi miembro. Ella chilla un poco, luego mece sus caderas, sus manos se enredan en mi cabello.

—¡Sergei! —Los gritos de Roman provienen del teléfono. Cambio ligeramente la posición de Angelina y luego me estrello contra ella de nuevo, jadeando.

—¿Qué? —exclamo y me estrello contra ella de nuevo, disfrutando de sus pequeños gemidos.

—¿Dónde diablos estás?

—En mi auto. Con Angelina. —Deslizo mi mano entre nuestros cuerpos y pellizco su clítoris, y ella gime en voz alta.

Hay unos segundos de silencio, y luego la voz gruñona de Roman llena el auto.

—¿Estás teniendo sexo mientras hablas por teléfono conmigo?

—Tal vez. —Sonrío, agarro la nuca de Angelina y aplasto mi boca contra la de ella, todo el tiempo embistiéndola.

—¡Jesucristo, Sergei! —espeta Roman y cuelga.

El cuerpo de Angelina comienza a temblar, sus paredes apretando mi polla. Es tan seductora con su cabello enredado y cayendo sobre su rostro agitado. Agarro un puñado de las hebras negras y empujo dentro de ella, con fuerza. Un leve sonido, como el ronroneo de un gatito, sale de sus labios. Escucharlo, combinado con la forma en que su centro apretado agarra mi longitud cuando se viene, me lleva al límite.

Me estrello contra ella como un loco hasta que mi semen explota dentro de su interior.

Murmura algo incoherente, suspira, luego se deja caer sobre mí, enterrando su rostro en el hueco de mi cuello.

—¿Estás bien, nena? —pregunto.

—Sí —susurra y acaricia mi cuello.

Sonrío, le doy un beso en su cabeza y llamo a Roman.

—¿Terminaste tan pronto?

—¡Vete a la mierda, Roman! —Me inclino hacia atrás y paso mi mano por la espalda de Angelina—. ¿Por qué los irlandeses nos quieren incluir en ese cargamento?

—Entonces, ¿también crees que esto es una trampa?

No estamos en buenos términos con los irlandeses. No entran en nuestro territorio, no pisamos el suyo. Se podría decir que estamos soportándonos mutuamente, pero cada uno sería muy feliz si el otro dejara de existir. Es alarmante que O'Neil llamara a Roman solo dos semanas después de que prácticamente declaró que intentarían meterse en nuestro negocio.

—Sí. Definitivamente. ¿Llamaste a Dushku para avisarle?

—Sí. Me reuniré con él esta noche —expone Roman—. Le dije a O'Neil que tengo un compromiso, y que tú irás en mi lugar.

—¿Cuándo?

—En cuatro horas. Eligió un lugar en el distrito industrial. Te enviaré la ubicación.

—De acuerdo.

—Ten cuidado y llámame en cuanto hayas terminado. No me gusta esto.

—Está bien. —Corto la línea y miro a Angelina, que todavía está pegada a mi pecho, su respiración dificultosa.

Sus piernas todavía temblando. Mi teléfono suena. Debe ser el texto de Roman. Lo miro brevemente y lo comparto con Felix.

—Necesito llamar a Albert. Luego, nos iremos a casa inmediatamente.

—Está bien —susurra en mi pecho.

Sigo acariciando su espalda mientras presiono el marcado rápido para Felix. Me encanta esto, cómo se siente en mis brazos.

—¿Qué? —Felix grita en el momento en que la línea se conecta.

—Estás de buen humor.

—Tuve una pelea con Marlene.

¿De nuevo? Esos dos necesitan una terapia de pareja.

—Me reuniré con Liam O'Neil en cuatro horas —indico mientras muevo mi mano para acariciar la parte superior de la cabeza de Angelina—. Necesito que accedas a las cámaras alrededor del lugar de la reunión y verifiques si hay algo sospechoso. Te he enviado la ubicación que me hizo llegar Roman.

—¿Qué estoy buscando?

—No estoy seguro. Dijeron que querían hablar de negocios, pero la historia no cuadra. ¿Tienes a alguien en el área que pueda pasar más cerca a la hora de la reunión?

—Déjame ver la ubicación primero. —Hay unos segundos de silencio—. *Mmmm*. Creo que la panadería *Little Sam's* está en la siguiente cuadra. Podría echar un vistazo.

—Bien. Pronto estaremos en casa.

El viaje a la casa de Sergei toma media hora, y todavía puedo sentir mis piernas temblando todo el camino de regreso. No puedo creer que tuviéramos sexo en un auto. Que *tuve* sexo en un auto. Solo he tenido un novio, y las dos veces que dormimos juntos, fue en una cama, con las luces apagadas en posición del misionero. No fue exactamente una experiencia alucinante, aunque pensé que estaba bien. *Impulsiva* es la palabra más lejana para describirme, sin embargo, cuando sentí las manos de Sergei en mi centro, me encendí. No podía pensar en otra cosa que no fuera tenerlo dentro de mí inmediatamente.

La locura solo se intensificó cuando lo escuché hablar con su *Pakhan* por teléfono. Se sentía de alguna manera prohibido, pero también fascinante, yo montándolo en su coche, donde cualquiera pudiera vernos. Cuando metió su dedo en mi boca para silenciarme para que Petrov no nos escuchara, me llevó al límite.

Le echo un vistazo a Sergei. Dijo que necesita ir a una reunión esta noche, pero todavía siento ese hormigueo de deseo entre mis piernas. ¿Se opondría a la segunda ronda?

Sergei se estaciona en la entrada, aunque no hace ningún movimiento para bajar del auto.

—¿Te arrepientes? —pregunta, apretando el volante—. Está bien si lo haces. Solo dímelo y no te volveré a tocar. —Me quedo mirándolo. ¿De qué mierda está hablando?—. No has dicho una palabra en todo el viaje, Angelina.

—Yo estaba... Procesando. —No soy muy buena con las relaciones o con la gente. Por lo general, me toma algún tiempo acostumbrarme a una persona. El hecho de que me sienta tan fuertemente atraída por alguien que apenas conozco es aterrador.

—¿Procesando? —suspira y entierra sus manos en su cabello—. Solo dime honestamente si no quieres tener nada con una persona mentalmente inestable y...

Me abalanzo sobre él. No hay una palabra mejor para describir la forma en que salto de mi asiento, me siento a horcajadas sobre él y envuelvo mis brazos alrededor de su cuello.

—¿Angelina?

—¡Solo cállate! —exclamo y golpeo mis labios contra los suyos.

Mi vestido termina alrededor de mi cintura otra vez, por lo que mi centro desnudo presiona directamente sobre su entrepierna, con la tela de sus pantalones como la única barrera entre mi sexo y su erección. Sin quitar mi boca de la suya, dejo que mis palmas se deslicen por su cuerpo, alcanzo la cinturilla de sus pantalones y libero su pene a toda prisa. Sergei sonríe en mi boca y, metiendo sus manos entre nuestros cuerpos, entierra su dedo dentro de mí. Pero tan pronto como estuvo allí, desaparece.

—Tendremos que ser rápidos. —Me agarra por la cintura, me levanta y me golpea contra su erección.

En el momento en que lo siento dentro, mis paredes comienzan a apretarse y lo monto como una maníaca, agarrando la tela de su camisa entre mis dedos. Sergei gime, luego se inclina un poco hacia atrás haciendo que su longitud se introduzca aún más en mi centro, llenándome por completo.

—¿Llegarás tarde a la reunión?

—¡A la mierda la reunión! —Sus manos recorren mi cuerpo hasta mi cabello ya enredado, agarrando los mechones entre sus dedos. Inclino la cabeza y muerdo un lado de su cuello, con fuerza, y siento que su pene se hincha dentro de mí. La presión entre mis piernas aumenta, y cuando su empuje hacia arriba se intensifica a un ritmo brutal, siento que mi orgasmo me golpea más fuerte que nunca, justo cuando Sergei termina junto conmigo.

Trato de arreglarme el cabello y el vestido en el auto para estar más presentable, pero siento que cualquiera que me mire sabrá lo que acabamos de hacer. Mientras subimos los escalones hacia la puerta principal, miro mi mano sosteniendo la de Sergei, nuestros dedos entrelazados.

—Necesito darme una ducha y cambiarme antes de la reunión con los irlandeses —señala mientras entramos.

—Claro. —Asiento con la cabeza.

Sergei inclina mi cabeza hacia arriba con su dedo debajo de mi barbilla.

—¿Procesando de nuevo?

—Un poco.

—Haz lo tuyo, entonces. —Asiente—. Y, cuando regrese, podemos discutir el tema más a fondo. Para darte más material para procesar.

Lo miro.

—Dudo que mi coño pueda manejar otra discusión hoy.

—Ya veremos. —Presiona un beso rápido en mis labios y se dirige escaleras arriba.

Cuando entro a la cocina, Felix está sentado en la mesa del comedor con una *laptop* de aspecto robusto frente a él. Rápidamente aliso la parte delantera de mi vestido y paso mi mano por mi cabello una vez más. Se siente como si tuviera "acabo de tener sexo en el auto dos veces" tatuado en mi frente. El hecho de que no tenga bragas tampoco ayuda.

—¿Vas a quedarte allí toda la noche, luciendo culpable como el mismo diablo? —Felix pregunta sin levantar la vista de la *laptop*.

Levanto la barbilla y me dirijo a la nevera para conseguir algo de beber.

—No tengo idea de lo que estás hablando.

—Ustedes dos deberían haber estado aquí hace media hora.

—Había mucho tráfico.

—¿En serio? —Me mira por encima del borde de sus lentes—. ¿Así es como lo llaman ustedes los chicos en estos días?

—¿Qué quieres decir?

Pone los ojos en blanco.

—No estoy ciego, y aún no estoy senil.

Ignoro su comentario y me acerco para pararme detrás de él. La pantalla de su *laptop* muestra imágenes de una cámara con diferentes ángulos de una calle.

—Son esas... ¿cámaras de tráfico?

—Cuatro cámaras de tráfico y una cámara de cajero automático. —Asiente.

—¿Cómo accediste a ellas?

—Eso es lo que hago, o hacía, cuando Sergei y yo trabajábamos juntos. Salía al campo y yo le brindaba apoyo desde la base.

—¿Y las otras personas en el equipo? ¿Cuáles eran sus trabajos?

Felix me mira.

—Nunca hubo otras personas. Siempre fue un agente y un supervisor.

—¿Fue enviado a misiones solo? ¿Y los refuerzos? ¿Qué pasaría si algo sucediera y necesitara ayuda?

—Sergei rara vez necesitaba ayuda, Angelina. —Sonríe y mira la pantalla—.Extrañaba esto.

Escucho pasos detrás de mí y me giro para encontrar a Sergei entrando. Lleva otro traje, con una camisa de vestir negra esta vez.

—¿Encontraste algo? —pregunta, alcanza las armas en el mostrador y las coloca en una funda de hombro escondida debajo de su chaqueta. No las tenía antes.

—Nada hasta ahora. —Felix señala la *laptop*—. Little Sam pasará en media hora.

—Bien. —Sergei asiente, toma una gran caja rectangular de la silla y la pone sobre la mesa.

Cuando abre la tapa para comprobar el contenido, me muevo a un lado para echar un vistazo y vacilo. Es un rifle de francotirador.

—¿Pensé que ibas a una reunión de negocios?

—Algo sobre esta reunión no me sienta bien. —Toma el auricular que Felix le pasa y se lo pone—. Voy a hacer un chequeo cuando llegue allí. Avísame en el momento en que veas venir a los irlandeses.

Cierra la caja con el rifle, lo levanta y me mira.

—Vuelvo en un par de horas. —Sonríe, y al momento siguiente se ha ido.

Espero hasta que escucho cerrarse la puerta principal, luego me siento en la silla al lado de Felix.

—¿Cómo es que Petrov deja que Sergei maneje los acuerdos de negocios? Teniendo en cuenta su estado mental.

—Porque incluso el mentalmente inestable Sergei hace un gran trabajo. Y, de todos modos, ninguna de las personas con las que se asocian está completamente cuerda.

—¿Él nunca se distrae mientras está en una reunión?

—No. No en una reunión. Y nunca en el campo —explica—. Sin embargo, ocasionalmente se pasa de la raya.

—Sí, algo así escuché. Casi mata a cuatro de los hombres de mi padre cuando se reunieron para hablar sobre asociarse el año pasado.

—Lo recuerdo. Probablemente estaba de buen humor ese día.

—¿Buen humor?

Felix baja sus lentes y me clava la mirada.

—Eran cinco, cuatro guardaespaldas y tu padre. Todos armados. Sergei estaba solo. Intentaron desarmarlo. Fue muy irrespetuoso de su parte. Me sorprendió gratamente que no los matara a todos, incluido tu padre.

—¿Cómo logró dominar a los cuatro si todos estaban armados?

—Con una facilidad aterradora. Los hombres de tu padre eran solo unos matones contratados sin entrenamiento real.

Se coloca nuevamente las gafas y vuelve a dirigir la mirada a la pantalla.

—Esto tomará un buen rato. Ve a dormir.

Ciertamente no planeo dormir hasta que regrese Sergei. Subo las escaleras para ducharme y cambiarme, luego vuelvo y tomo asiento junto a Felix.

Capítulo Trece

Sergei

Termino de armar el rifle, lo apoyo en la superficie del techo y enfoco la mira en el pequeño grupo de personas que están de pie junto a un automóvil en el callejón. Hay cuatro de ellos en el punto de encuentro, y solo un auto.

Enciendo el micrófono.

—¿Felix?

—¿Qué?, ¿no más Albert?

—Albert es el que lava los platos —digo—. Eres Felix cuando realizas vigilancia.

—Eres tan gracioso. ¿Cuál es la situación?

—Llegaron temprano. Veo a cuatro de ellos. Un coche.

—Vi otro auto un poco más abajo, detrás de un contenedor de basura, y dos tipos de aspecto sospechoso en el callejón lateral a la vuelta de la esquina. Marqué las ubicaciones y envié el mapa a tu teléfono. Little Sam dijo que notó otro vehículo dando vueltas alrededor de la cuadra.

—¿Cuántas personas adentro? —pregunto.

—Ni idea. Vidrios polarizados.

—De acuerdo. Fuera.

Compruebo los marcadores de ubicación que Felix envió en mi teléfono y luego llamo a Roman.

—¿Dónde estás?

—En la casa. Nina no se siente bien. Atrapó un virus. Estamos esperando al médico.

—¿Qué hay de la reunión con Dushku?

—Envié a Kostya.

—A Dushku no le cae bien el chico, lo sabes.

—Sí, bueno, tendrá que arreglárselas. La maldita DEA irrumpió en Ural hace una hora. Están revisando el lugar. Envié a Maxim para que ayudara a Pavel. Dimitri e Ivan fueron a Baykal en caso de que la DEA decida caerles de visita también. No había nadie más disponible.

Qué extraña coincidencia. Miro a los irlandeses.

—¿Qué auto tomó Kostya?

—El mío. Estrelló el suyo de nuevo, hace dos días.

—Necesito que llames a Kostya —indico, mirando a los hombres de abajo—. Dile que dé la vuelta y regrese a la mansión. Ahora mismo. Y aumenta la seguridad.

—¿Por qué?

—O'Neil está aquí con tres hombres más, esperándome. Sin embargo, Fitzgerald no está. O'Neil nunca realiza negocios sin él. También hay otros dos autos fuera de la vista y algunos hombres escondidos en el callejón trasero.

—¿Emboscada?

—Sí. Esta es para mí. Probablemente tenga a alguien siguiendo el auto de Kostya también, pensando que eres tú quien está adentro. Llámalo de inmediato, o lo matarán.

—¡Carajo!

La línea se corta. Sigo mirando a los hombres. En un momento, O'Neil toma su teléfono y habla brevemente con alguien. Cinco minutos después, mi teléfono vibra.

—Dos autos interceptaron a Kostya en el paso subterráneo —informa Roman—. El auto está abandonado allí, con los neumáticos destrozados por los disparos.

Respiro hondo y aprieto los dientes.

—Llama a Felix. Ya está conectado a las cámaras de tráfico. Necesito saber a dónde lo llevaron. Haré una limpieza aquí y volveré para equiparme.

—No vas a ir solo. ¿Me escuchas?

—¡Llama a Felix! —bramo, corto la llamada y vuelvo a poner el ojo en el visor.

Mato a O'Neil primero. Un disparo, directo al pecho. El hombre a su derecha es el siguiente. Ambos están en el suelo antes de que los otros dos se den cuenta de lo que está pasando. Los dos últimos corren hacia el auto. Asesino a uno, pero el último hombre logra agacharse fuera de mi vista.

Me levanto con mi rifle, camino hacia el otro lado del techo y vuelvo a tomar posición, esperando que el último hombre intente entrar al coche. Hace exactamente eso. Cuando está dentro, envío la última bala a través de la ventana abierta, directo a su cabeza. Cuatro menos. Faltan seis más.

Vuelvo a poner el rifle en el estuche y miro mi reloj. Veinte minutos es lo máximo que puedo permitirme pasar aquí. Configuro el temporizador, saco mi pistola y vuelvo al interior del edificio.

Los dos tipos en el callejón lateral son fáciles de despachar, ni siquiera me ven venir, pero los últimos cuatro van a ser más difíciles ya que están sentados dentro de un auto cerrado y probablemente blindado detrás del basurero. No hay suficiente tiempo para molestarse con el arma. Una mirada a mi reloj. Quedan cinco minutos. Mierda. Corro por la calle hacia mi auto, guardo el rifle dentro del maletero y recupero un pequeño lanzagranadas del compartimiento oculto. Luca dijo que su precisión es impecable. Menos mal que los irlandeses eligieron un lugar desierto para la reunión.

Corro hacia la esquina, apunto y disparo. Unos segundos más tarde, el vehículo con los irlandeses explota, enviando un magnífico trueno en la noche.

—Los tengo —murmura Felix a mi lado.

Ha estado revisando las grabaciones de las cámaras de tráfico durante los últimos cuarenta minutos, buscando el auto que salió del paso subterráneo con Kostya dentro. Traté de seguir lo que Felix estaba viendo en la pantalla, pero es demasiado rápido. Apenas logré vislumbrar las dos camionetas SUV negras aquí y allá mientras cambiaba de video.

La puerta principal se abre de golpe y Sergei cruza corriendo la sala de estar, en dirección a las escaleras que conducen al sótano.

—¿Los tienes? —grita.

—Sí. Una casa abandonada al sur de la ciudad. Te enviaré la ubicación del GPS.

—¿Qué está sucediendo? —pregunto.

—Sergei va a buscar a Kostya.

—¿Ahora?

—Los irlandeses intentarán extraerle toda la información

que puedan y luego lo matarán. Tiene que ser dentro de la próxima hora más o menos —indica Felix y asiente.

—¿Quién irá con él?

—Recogerá a Dimitri en el camino, pero se quedará en el auto. Sergei va a entrar solo.

—¿Qué? —Abro mis ojos hacia él—.¡No sabes cuánta gente hay ahí! ¡Lo pueden asesinar!

—No podía haber más de seis o siete personas en esos autos. Probablemente no tengan a nadie en el lugar. Esto no fue planeado. Esperaban a Roman, y lo habrían matado si hubiera estado en ese coche.

—¡Todavía son siete contra uno!

—No podemos arriesgarnos a enviar a nadie más, Angelina. Si los irlandeses los ven venir, matarán a Kostya en el acto.

Me llega el sonido de pasos rápidos, y un momento después Sergei entra corriendo a la cocina. Lo miro, mis ojos exploran el chaleco antibalas sobre una camiseta negra de manga larga, pantalones tácticos negros con fundas en las piernas que sostienen cuchillos, cargadores adicionales y una pistola, así como dos armas más en las fundas de los hombros. Parece que va a la guerra.

—¿Estamos bien? —pregunta.

—Sí. —Felix lo mira—. No mueras.

Sergei asiente y se vuelve hacia mí. No dice nada, solo me observa durante unos segundos, luego se estira y traza una línea por mi mejilla con el dedo. Abro la boca para decir algo, pero se da la vuelta y se dirige a la puerta principal. Todo lo que puedo hacer es mirar su espalda mientras se va.

—Un hombre en el auto estacionado al final de la calle. Dos junto a la puerta. —Se escucha la voz baja de Sergei a través de los auriculares que me dio Felix—. Tres más dentro de la casa con Kostya.

—¿Está vivo? —pregunta Felix.

—Sí. Pero, está bastante golpeado. Dile a Roman que haga que el doctor nos espere en la mansión.

—Doc ya está allí.

—Bien. Voy a entrar.

Durante unos minutos, lo único que escucho es la respiración de Sergei. Entonces, de repente, hay un sonido de asfixia que dura unos segundos. Escucho con atención, tratando de captar algo más, pero lo único que se escucha una vez más es una respiración apenas audible.

Ruido. Algo golpea el suelo. Un breve silencio, luego alguien empieza a jadear y vuelve a oírse un sonido ahogado.

Agarro el borde de la mesa frente a mí, tratando de controlar mi propia respiración errática.

Voces distantes. Tres disparos en rápida sucesión. Alguien vocifera. Gritos. Varios disparos. Sergei maldiciendo. Un golpe. Disparos de nuevo, seguidos de más gritos. Pies corriendo. Un solo disparo. Un eco de algo rompiéndose. Dos disparos más. Luego, silencio, roto solo por el sonido de una respiración pesada.

—¡Kostya! —Es la voz de Sergei—. *Davay. Poshli.* —Gruñidos. Algunas maldiciones rusas—. Lo tengo —informa Sergei en el micrófono—. Dile a Dimitri que traiga el coche por delante. El chico pesa una tonelada y apenas está consciente.

Dejo escapar un suspiro y cierro los ojos, escuchando a Felix mientras llama a Dimitri, luego a alguien más. No presto atención a lo que se dice porque estoy absorta en el sonido de la respiración ligeramente dificultosa de Sergei. ¿Está bien? *Él* no suena tan bien. ¿Le dispararon? Miro a Felix, que todavía está al teléfono, aunque no parece preocupado.

Quito el silencio del altavoz en mis auriculares.

—¿Sergei? ¿Estás bien? —pregunto. No dice nada. Se oye el sonido de un auto acercándose, luego el chirrido de neumáticos—. ¿Sergei? —Lo intento de nuevo.

Después de unos momentos de silencio, recibo una respuesta seca:

—Estoy bien. Dimitri está aquí, tengo que irme.

Escucho la puerta del coche abrirse, ruidos y algunas maldiciones más, luego la puerta se cierra de golpe. El audio se desconecta.

Sergei

Treinta minutos antes

Hay una especie de cobertizo a cien yardas de la casa donde tienen a Kostya. Preferiría algo más cerca, en caso de que tenga que sacar al chico a toda prisa, pero servirá. Después de estacionar el auto detrás del cobertizo, saco el gorro negro de mi bolsillo y me lo pongo. Ir a una misión nocturna con el cabello tan claro como el mío al descubierto, es como pedir una bala en la cabeza.

—Voy contigo —expresa Dimitri desde el asiento del pasajero y saca su arma.

—Si te atreves a dejar este auto —advierto mientras me pongo los guantes—, te voy golpear y encerrar en el maletero.

—Maldita sea, Sergei.

Miro hacia arriba, directamente a sus ojos.

—Quédate. Aquí.

Dimitri me mira, luego tira el arma al tablero. Bien.

Después de dejar el vehículo, cruzo el amplio tramo de hierba hasta el patio trasero. Tardo más de lo que me gustaría en llegar a la valla porque tengo que asegurarme de no pisar la basura esparcida por el suelo y alertar a los irlandeses. Hago un amplio círculo alrededor de la casa y el jardín para ver dónde están los hombres, luego me acerco para echar un vistazo a la habitación donde tienen a Kostya.

Hay tres matones adentro con Kostya. Lo tienen atado a una silla en la esquina. Dos de los tipos están de pie a un lado, y el tercero está en proceso de reacomodar los órganos internos de Kostya con los puños. El costado de la cara de Kostya está hinchado y ensangrentado, y uno de sus brazos cuelga en un ángulo poco natural. El chico se ve terrible.

Vuelvo sobre mis pasos hasta el frente de la casa, me agacho detrás de un arbusto y actualizo a Felix sobre el estado de la ubicación. Con eso hecho, me dirijo hacia la puerta principal, abrazando el costado de la casa para permanecer fuera de la vista, enfocado en el hombre dentro del auto estacionado. El tipo está tan absorto viendo pornografía en su teléfono que ni siquiera se da cuenta cuando me deslizo en el asiento trasero y envuelvo mi brazo alrededor de su cuello. Estoy seguro de que el tipo está muerto, no obstante, le rompo el cuello antes de dejar el auto de todos modos. Más vale prevenir que lamentar.

Manteniéndome en las sombras, me muevo más cerca y luego me deslizo a lo largo de la pared hacia los dos tipos en la puerta principal. Están fumando y charlando, y sus armas están aseguradas dentro de las fundas como si no tuvieran ninguna preocupación en el mundo. Uno está de espaldas a mí, así que me concentro en el otro y saco uno de mis cuchillos. Puede que no sean una buena opción si quieres matar a alguien, pero sin duda son una gran distracción. Después de medir la distancia, giro y dejo volar el cuchillo. Encuentra su objetivo, golpeando al tipo justo en el centro de su cuello.

Tardo exactamente tres segundos en llegar a ellos. Usando mi cuchillo Bowie, primero mato al tipo que está de espaldas a mí. El idiota está tan concentrado en la navaja que sobresale del cuello de su amigo que ni siquiera ha sacado su arma. Dejando caer el cuerpo, corto el cuello del otro hombre, terminando el trabajo.

Ahora, la parte más difícil.

Si la situación fuera diferente, habría eliminado a los seis irlandeses, uno por uno, con mi rifle de francotirador, sin embargo, tener la vida de Kostya en peligro cambia las cosas. No puedo darme el lujo de alertar a ninguno de ellos de mi presencia, o matarán al chico antes de que llegue a él. O entramos de incógnito, o con las armas tronando. Los últimos tres tipos están en la habitación con Kostya, por lo que no hay forma de escabullirse y neutralizarlos individualmente. Tendré que irrumpir y matarlos a todos de un solo golpe.

Sacando mi arma, entro a la casa y atravieso el estrecho pasillo. La puerta al final está entreabierta, escucho las voces de los captores al acercarme. Al llegar allí, levanto mi arma y pateo la puerta. Lanzo tres balas al primer hombre que veo, luego disparo al que apunta con su arma a Kostya. Apuntando a su cabeza, disparo. El imbécil se mueve justo en ese momento, y mi bala encuentra la pared en su lugar. Le disparo dos veces más, dándole a mi blanco, pero jadeo y tropiezo cuando me disparan directamente en el pecho. Probablemente sea de bajo calibre, así que me las arreglo para recuperarme una fracción de segundo después. Tomo aire, ignoro el dolor y le disparo al único hombre que queda. Mi bala lo golpea en el centro de la cabeza y su cuerpo cae hacia atrás, estrellándose contra una mesa de centro.

Entro en la habitación, pongo una bala en la cabeza de cada cuerpo sin vida por si acaso, luego corro hacia Kostya y corto sus ataduras.

—¡Kostya! —Envuelvo mi brazo alrededor de su espalda—. *Davay. Poshli.*

Incluso semiconsciente, se las arregla para ponerse de pie, gruñendo en el proceso. Pongo su brazo bueno alrededor de mi cuello y comienzo a arrastrarlo hacia afuera.

Estamos en el frente de la casa, esperando a Dimitri, cuando escucho la voz en mi auricular y mi sangre se hiela.

—¿Sergei? ¿Estás bien?

Cierro los ojos, queriendo golpear algo. Ha estado escuchando todo este tiempo.

Sergei llega una hora más tarde. En el momento en que veo que se abre la puerta principal, salto del sofá donde he estado esperando. En lugar de acercarse, solo mira de reojo en mi dirección y se dirige a las escaleras. Me paro en medio de la sala de estar, observando su figura que se retira, preguntándome qué diablos está pasando. Entonces, tomo una decisión. Si quiere que lo deje solo, tendrá que ser en otro momento, porque necesito saber que está bien.

Llego a lo alto de las escaleras justo a tiempo para verlo entrar en su dormitorio. Cuando llego al interior de la habitación, no lo veo por ninguna parte, no obstante, el agua está corriendo en el baño.

—¿Sergei? —llamo, y al no recibir respuesta, me acerco y abro la puerta.

Sergei está parado frente al lavabo, su cabeza está inclinada y sus manos están agarrando el borde del mostrador con tanta fuerza que sus nudillos se han vuelto blancos.

—Felix no debería haberte dejado escuchar el audio —dice sin levantar la cabeza.

Doy un par de pasos hacia adelante y pongo mi mano sobre la suya.

—¿Por qué?

—Porque no me gusta la idea de que escuches mientras estoy matando gente, Angelina.

Todavía no me mira. En cambio, se enfoca intensamente en el lavabo, con la mandíbula apretada. Cierro el agua, luego coloco mi mano en su mejilla y lentamente vuelvo su cabeza hacia mí.

—Escuchar o ver a personas siendo asesinadas no es nada nuevo para mí, Sergei. —Paso el dorso de mi mano por un lado de su rostro—. Estás cubierto de sangre.

—No es mía.

—Bien. —Asiento con la cabeza y empiezo a desabrochar su chaleco.

Mientras se quita el chaleco por la cabeza, un siseo escapa de su boca.

—Mierda —murmura, agarra su camisa y se la quita, revelando una marca roja de mal aspecto ubicada entre las líneas negras de sus tatuajes.

—¡Sergei! —Jadeo y me inclino para inspeccionarlo—. ¿Es esto de un disparo?

—Es solo un moretón. El chaleco detuvo la bala.

Extiendo la mano y rozo ligeramente la piel herida con la punta de mi dedo. Podría haber muerto. ¿Cómo pudieron dejarlo entrar allí solo?

Hay un toque suave en mi barbilla cuando la toma entre sus dedos y levanta mi cara.

—Es solo un trauma superficial. A veces sucede.

Dice esto como si recibir un disparo no fuera gran cosa. ¿Y si no hubiera estado usando el chaleco antibalas? ¿Y si hubiera sido una bala capaz de perforar el chaleco? Lo miro a los ojos, que me están observando, tomo su rostro entre mis manos y presiono mis labios contra los suyos. Él no responde por un segundo o dos, pero luego me agarra por la cintura, presionándome contra él mientras sus labios comienzan a atacar los míos.

El brazo alrededor de mi cintura se aprieta y me levanta sobre la encimera al lado del lavado. Los labios de Sergei desaparecen de los míos y abro los ojos para encontrarlo mirándome con la cabeza inclinada hacia un lado.

—¿Sabes en lo que te estás metiendo, Angelina? —pregunta, y observo con los ojos muy abiertos mientras alcanza el cuchillo atado a su muslo.

Sigo la enorme navaja mientras la mueve hacia mi pecho y coloca la punta ligeramente curvada debajo del primer botón de mi camisa. Hay algunas manchas oscuras que parecen sangre seca en su elegante superficie de metal. ¿Está tratando de asustarme?

—Sí. —Levantando la cabeza, miro directamente a sus ojos claros. Puede que parezca tímida, sin embargo, no me asusto fácilmente. Las personas que están dispuestas a matar para proteger no me asustan. Solo tengo miedo de aquellos que hieren a otros simplemente para disfrutar de su dolor.

Envuelvo mis dedos alrededor de la mano que sostiene el cuchillo. El botón sale volando, repiqueteando contra el suelo.

Mueve la navaja hacia abajo, enganchando la punta debajo del siguiente objetivo.

—¿Estás segura de eso?

Asiento con la cabeza y el segundo botón cae al suelo. El tercero sigue poco después, y estoy sentada, inmóvil, mientras continúa cortándolos hasta que todos desaparecen. Tomando una respiración profunda, me quito la camisa y la dejo caer. Los labios de Sergei se curvan hacia arriba, y contengo el aliento cuando el metal frío presiona ligeramente contra el centro de mi pecho.

—Me gusta este sostén —resoplo.

—A mí también —expresa, metiendo un dedo debajo de la tela que mantiene unidas las copas y mueve la punta del cuchillo hacia arriba—. Pero te prefiero sin él.

Corta la fina pieza de tela y mi centro se aprieta, empapando mis bragas.

Sin apartar mis ojos de los suyos, descarto el trozo de encaje arruinado, lo dejo caer para unirse a mi camisa y me inclino hacia atrás. Sergei deja caer el cuchillo en el lavabo, luego desliza sus dedos en la cinturilla de mis *jeans* e inclina la cabeza hasta que su cara está justo frente a la mía.

—No habrá vuelta atrás después de esto, nena —agrega.

Sí, supongo que no la habrá. Apoyándome con las palmas de las manos en el mostrador, levanto mi trasero mientras desliza los pantalones por mis piernas. Esperaba que me quitara las bragas a continuación, pero en lugar de eso, toma el cuchillo de nuevo, engancha la punta debajo de la tira y la corta.

—¿Te gusta arruinar mi ropa interior?

—Inmensamente. —Sonríe, luego repite la acción en el otro lado. La última pieza de la tela que me cubre cae, dejándome completamente desnuda, expuesta para él bajo la brillante luz fluorescente. Si fuera cualquier otro hombre, estaría nerviosa. No con Sergei. Ya me ha visto en mi peor momento, así que no siento la necesidad de esconderme de él.

Manteniendo sus ojos pegados a los míos, comienza a desatar las fundas alrededor de sus muslos, dejando que las armas golpeen el suelo una tras otra. Un arma. Varios cartuchos extra. Otro cuchillo. Finalmente, se quita los pantalones y los bóxers y se para frente a mí desnudo, en todo su esplendor. Mientras observo todos esos músculos tensos y duros, rigurosos e impecablemente definidos, me doy cuenta de que su cuerpo es hermoso, pero no solo en apariencia. Al igual que las pistolas y los cuchillos que tiró, el cuerpo de Sergei es un arma, hecha a la perfección y capaz de acabar con la vida de una persona con el mínimo esfuerzo, tal como lo presencié esta noche.

Se acerca y agarra la parte posterior de mi cuello con su mano izquierda, deslizando la derecha por mi espalda, y tira de mí hacia adelante hasta que la punta de su dura erección presiona mi coño. Debería preocuparme el hecho de que ha acabado con varias vidas con las mismas manos que me sostienen ahora. Tiene salpicaduras de sangre seca en los brazos y la cara. Pero no me afecta. En cambio, envuelvo mis piernas alrededor de su cintura y me deleito con la sensación de su pene deslizándose dentro de mí. Es demasiado grande y jadeo cuando mis paredes se tensan, estirándose para adaptarse a su tamaño. Todavía estoy un poco adolorida por lo de antes, aunque no me importa. Ninguno de nosotros se mueve por unos momentos, mientras nos miramos a los ojos.

Por alguna razón, esto se siente diferente. De vuelta en el auto, solamente éramos dos personas sucumbiendo a la atracción sexual y dejándose llevar. Pero esto... *esto* es otra cosa.

Hasta esta noche, no entendía muy bien quién era en realidad Sergei Belov. Lo escuché matar a seis hombres armados, rápida y eficientemente, sin dudarlo. Ahora lo sé. Me estoy enamorando de un asesino a sangre fría.

Sergei

Hipnotizado. Mi polla se siente como si fuera a explotar, pero no me muevo. Los ojos sin pestañear de Angelina, viendo directamente a los míos, me tienen completamente hipnotizado. No hay miedo en ellos. Ni repugnancia. La gente rara vez me mira a los ojos. Si lo hacen, desvían la cabeza lo más rápido posible, como si tuvieran miedo de lo que puedan encontrar cuando observan demasiado de cerca. Su mano descansa sobre mi hombro, sus uñas perforan mi piel mientras aprieta sus piernas alrededor de mi cintura y me acerca aún más.

Dejo que mis dedos se deslicen por su espalda y agarro un puñado de su cabello, inclinando hacia atrás su cabeza. Ella se estremece y se muerde el labio inferior, cerrando los ojos.

Salgo de ella, casi por completo, y tiro ligeramente de su cabello.

—Mírame, nena.

Necesito que me mire. En el momento en que sus ojos se abren, empujo dentro de ella con todas mis fuerzas. Angelina suspira, agarrándose a mis hombros, mientras me entierro en su interior hasta el fondo.

—Más rápido —gime.

—No. —Sonrío y me deslizo hacia afuera, solo para empujar adentro de nuevo, más lento esta vez. El sonido de su jadeo es música para mis oídos. La expresión de su rostro no tiene precio, algo entre euforia y frustración. Suelto su cabello y agarro su barbilla, todavía moviéndome adentro y afuera tan lentamente como puedo, y devoro sus labios. Ella sabe a miel y pecado, y mi control se desvanece. Agarro su trasero con mi mano izquierda y la embisto, manteniendo nuestras bocas juntas mientras nuestras respiraciones se mezclan. Las manos de Angelina se envuelven alrededor de mis brazos, apretando como si su vida dependiera de ello, y golpeo contra su interior una y otra vez. Ella gime, cerrando los ojos. No.

—¡Mírame a los ojos, Angelina! —ordeno y me aferro a su barbilla de nuevo—. Necesito que me mires.

Sus manos se mueven hacia arriba hasta que descansan a cada lado de mi rostro, y me mira como siempre lo hace, como si me viera a *mí,* no a alguien a quien envían cuando es necesario destruir cosas o eliminar personas. No al hombre desquiciado que todos temen que los mate si lo miran de manera equivocada. Solo... a mí.

—Me quedaré contigo, *lisichka* —digo contra sus labios y arremeto de nuevo—. Eres mía.

Angelina gime cuando estremecimientos sacuden su

cuerpo, y sigo embistiéndola hasta que encuentro mi propia liberación. Ni siquiera por un segundo aparta sus ojos de los míos.

—Necesito una ducha —señala Sergei contra mi boca, luego muerde mi labio—. Tengo sangre por todas partes.

Suspiro, todavía recuperándome de mi euforia.

—¿Te importaría tener compañía?

—*Nop*.

Sus palmas aterrizan en mis brazos y se deslizan hacia abajo, luego se mueven hacia mi cintura. Me baja del mostrador y entrelaza sus dedos con los míos. Sus ojos están velados por la excitación persistente mientras su agarre en mi mano permanece fuerte. Me lleva a la ducha y gira la manija. El agua cae en cascada sobre él, los riachuelos bajan por su rostro y cuerpo, lavando la sangre. El agua a sus pies es rosa, y estoy hipnotizada mientras se arremolina antes de desaparecer por el desagüe. Cuando veo hacia arriba, los ojos de Sergei me miran. Esperando. Doy un paso adelante y me uno a él bajo el torrente, mis pies junto a los suyos en una mezcla de sangre y agua.

Levanta una ceja.

—Podrías haber esperado a que la sangre se lavara.

—Podría haberlo hecho —replico mirándolo a los ojos.

—¿No te molesta?

Miro el agua alrededor de mis pies. Todavía tiene un tono rosa pálido.

—No, no particularmente.

Extiende su mano y mueve algunos mechones de cabello que están pegados a mis mejillas.

—Eres de una raza extraña.

—No lo soy —respondo y alcanzo el gel de baño—. Probablemente soy la persona más aburrida que conozco.

Observo mientras toma mi barbilla entre sus dedos e inclina mi cabeza hacia atrás.

—Eres lo más lejano a lo aburrido, nena.

—Tu hermano dijo que parezco una bibliotecaria.

—No tengo idea de cómo se supone que debe lucir una bibliotecaria, pero si es así... —Su mano libre descansa sobre mi hombro y viaja hacia abajo por mi pecho, apretando mi senos, luego baja a lo largo de mi estómago y finalmente se detiene entre mis piernas—. Entonces, las bibliotecarias son increíblemente *sexys*. —Inclina la cabeza y presiona sus labios contra los míos mientras su mano toca mi trasero—. Con los traseros más firmes y sensuales —dice en mi boca y golpea mi trasero ligeramente.

—Si tú lo dices. —Sonrío, luego grito cuando me muerde el labio.

—Sí.

Sonrío y exprimo un poco del gel de baño en mi mano.

Sergei gime.

—No el de fresa.

Miro mi mano y veo que agarré uno de los míos. Sonriendo maliciosamente, exprimo un poco más. Mientras le lavo el pecho, siendo cuidadosa en el lugar donde la bala lo golpeó, observo más de cerca los tatuajes que cubren su frente. La mayoría son escenas macabras, realizadas con gran detalle. Sin embargo, aquí y allá, entre numerosos patrones geométricos y criaturas mitológicas, hay palabras escritas en ruso.

Paso mi dedo a lo largo de la cola de una serpiente con alas en su esternón y la sigo hasta su hombro. Sergei se da la vuelta, dándome la espalda, y sigo a lo largo del cuerpo de la criatura que termina sobre su omóplato en una cabeza gigante con la mandíbula abierta. Solo he notado una cicatriz en la parte delantera del cuerpo de Sergei, una pequeña línea horizontal a un lado de su cuello, pero hay varias en su espalda. Una marca redonda cerca de la cabeza de la serpiente en su hombro y otra más en su cadera. Rozo cada una con mis dedos, luego me inclino hacia adelante y le doy un beso en la parte superior del brazo. Hay una inhalación brusca, y al momento siguiente, estoy presionada contra la pared con la boca de Sergei devorando la mía, y su dura erección palpitando contra mi estómago.

—Eso no tomó mucho tiempo. —Paso mi mano por su longitud—. ¿Estamos tratando de romper algún récord? Porque no estoy segura de poder mantener este ritmo.

—No te preocupes. La resistencia viene con la práctica. —Cierra el agua, toma una toalla del estante y me la pone sobre los hombros. Después de envolverme, me levanta en sus brazos y me lleva del baño a la cama.

—Esto se siente familiar —musito y entierro mi rostro en el hueco de su cuello—. Sin embargo, esta vez hueles diferente.

—¿Y de quién es la culpa?

Sonriendo, lamo su cuello, luego muerdo la piel ligeramente.

—No me estaba quejando.

Recostándome en la cama, se sube encima de mí.

—Ahora, es mi turno de probar.

En lugar de inclinarse para saborear mi cuello como

esperaba, baja por mi cuerpo, toma mis piernas y las coloca sobre sus hombros, observo mientras baja la cabeza y lame mi coño.

—Perfección —gruñe, luego lo lame unas cuantas veces más, haciéndome jadear. Succiona mi clítoris y los temblores se apoderan de mi cuerpo. Quiero que continúe, pero al mismo tiempo, siento que voy a explotar si no vuelve a meterse dentro de mí. Cuando agrega un dedo, gimo y agarro su cabello, mientras mi centro se estremece. Sergei retira su boca de mi sexo y yo gimo de frustración, pero al instante siguiente, su pene me llena por completo. El peso de su cuerpo se asienta sobre mí, y su corazón late contra el mío. Me rodea con un brazo y me acaricia la mejilla con la otra mano. Jadeo y sostengo su mirada mientras me penetra.

Mi coño está en carne viva, aunque no me importa. Cada embestida, cada dolor, cada vez que su miembro estira mis paredes se siente como una prueba de que está vivo. Temí tanto por él esta noche. Nunca olvidaré esos veinte minutos. Estoy tan harta de ver morir a todos los que me importan.

Con una mano agarrándolo con todas mis fuerzas, levanto la otra para cubrir la suya en mi mejilla. Me pican los ojos. Él está aquí. Está vivo. Sergei me empala de nuevo, enterrando su polla hasta el fondo. Los latidos de su corazón se aceleran. Otro empujón. Vivo. Vivo. Vivo.

Angelina

Palabras susurradas en ruso. Un movimiento a mi lado. Más palabras, más rápido y un poco más alto. Abro los ojos, todavía un poco aturdida porque el sueño se niega a soltarme, y me toma unos segundos registrar dónde estoy. La luz de la mañana baña la habitación con un suave resplandor, y lo único que escucho es el murmullo de Sergei. Me doy la vuelta y lo encuentro acostado boca arriba a mi lado, con la mandíbula apretada en una línea dura y los ojos cerrados con fuerza. Me siento en la cama y presiono mi palma ligeramente en su mejilla.

—¿Sergei?

Sus ojos se abren de golpe al mismo tiempo que su mano se dispara y se envuelve alrededor de mi garganta. Jadeo, agarro su muñeca con ambas manos y tiro, pero no me lleva a ninguna parte.

—¡Dasha! —Sergei revira, su rostro es una imagen de odio.

No hay tiempo para pensar en quién es Dasha, porque

incluso con poca luz, puedo ver que sus ojos están vacíos. Tomo aire y trato de quedarme completamente quieta. No me está haciendo daño, sin embargo, estaría mintiendo si dijera que tener su enorme mano alrededor de mi cuello no es un poco alarmante.

—Sergei, soy yo. Angelina —digo con voz tranquila.

Suelto su muñeca, coloco mi palma en su mejilla nuevamente y muy lentamente empiezo a mover mi mano hacia el centro de su rostro.

—Sergei. Por favor, vuelve, grandulón. —Paso un dedo por su nariz—. Estoy fascinada con tu nariz, ¿lo sabías?

Parpadea.

—Eso es —continúo, y deslizo la punta de mi dedo por su nariz otra vez—. Vuelve a mí, Sergei.

—¿*Lisichka*? —susurra.

—*Síp*. La ladrona de tu cama.

Lo observo mientras respira profundamente, mueve su mirada hacia la mano que todavía sostiene mi cuello y se tensa.

—¡Jesucristo!, ¡maldición! —Suelta mi cuello como si se hubiera quemado y salta de la cama. Se tambalea hacia atrás hasta que golpea la pared, luego se deja caer al suelo, mirándome todo el tiempo—. Me quedé dormido. —Por la forma en que lo dice, parece que es lo más atroz que podría haber hecho—. No puedo creer que me quedé dormido a tu lado.

—Sergei...

—Podría haberte matado. —Se entierra las manos en el cabello, cierra los ojos y golpea su cabeza contra la pared—. Lo siento mucho, nena.

Me envuelvo en la sábana, salgo de la cama arrodillándome en el suelo frente a él.

—¡No! —Tomo su rostro con mis manos—. Es mi culpa.

Felix me advirtió que no te tocara cuando estés dormido. Se me olvidó.

—No es tu culpa que esté jodido —revira—. Te llevaré a un hotel hoy. No estás a salvo conmigo alrededor.

—No voy a ir a un hotel.

—Bueno. Entonces, yo me iré.

Aprieto mis labios.

—Tú tampoco irás a ninguna parte.

—Angelina.

—No. Los dos nos quedamos aquí. Y encontraremos una manera de solucionar esto.

Levanta la cabeza y me mira con los ojos muy abiertos.

—¿Estás loca? Casi te estrangulo hasta matarte, por el amor de Dios.

—Solo me estabas alejando de ti. La próxima vez, esperaré hasta que despiertes antes de tocarte.

—No habrá una próxima vez, Angelina. No voy a cometer el mismo error y ponerte en peligro nunca más.

—Te desperté en medio de una pesadilla, Sergei. Pensaste que yo era una amenaza. Y aun así, no me lastimaste.

—Podría haberlo hecho. —Sacude la cabeza—. Tienes que mantenerte alejada de mí.

Me inclino hacia adelante hasta que mi nariz toca la suya.

—Eso no va a suceder. Volvamos a la cama.

—No. Me iré a la otra habitación. No hay forma de que pueda dormir después de lo que pasó, pero por si acaso.

—Bien. —Asiento con la cabeza—. Me llevaré la almohada e iré contigo. Y para que lo sepas, odio dormir en el suelo. Fui a acampar una vez cuando estaba en tercer grado. Una de las peores experiencias de mi vida, y esa es una lista muy competitiva.

—No vas a dormir en el suelo, Angelina.

—Entonces la cama será. Me alegra que estemos de acuerdo en eso. —Tomo su mano y me levanto—. Ven. Por favor.

Me deja levantarlo y me sigue a regañadientes por la habitación. Trepando a la cama, me deslizo para dejarle espacio y acaricio la almohada junto a mi cabeza. Sergei me mira, su rostro sombrío, luego se sienta en la cama de espaldas a mí y baja la cabeza, mirando el suelo entre sus pies. Es obvio que no planea acostarse. Me muevo para sentarme detrás de él con mis piernas a cada lado de su cintura, envolviendo mis brazos alrededor de su pecho. Descansando mi mano izquierda justo sobre su corazón, pongo mi mejilla en su espalda.

Sergei respira hondo y cubre mi mano con la suya.

—Estoy jodido, Angelina. Seriamente jodido.

—Está bien. Me gustas tal como eres. —Cierro los ojos y acaricio su espalda con mi nariz—. ¿Quién es Dasha?

Su cuerpo se queda quieto, mas el latido del corazón bajo mi mano se acelera. Se queda callado durante mucho tiempo. No mueve un músculo, y estoy segura de que mi pregunta quedará sin respuesta.

Pero entonces, comienza a hablar.

—Dasha era mi esposa —susurra, y mis ojos se abren de golpe.

—Nos conocimos por accidente —continúa—, o eso es lo que yo creía en ese momento. Hace seis años. Era unos años mayor que yo, camarera en un café que frecuentaba. Tímida. Ligeramente insegura de sí misma. Ella era rusa. Estaba aquí con una visa de trabajo, tratando de obtener sus papeles —resopla—. Yo era joven. Estúpido. Me creí la farsa. Y, ella me gustaba. Felix comprobó sus antecedentes, por supuesto. Parecía todo bien. Cuando le dije que me iba a casar con ella para que pudiera obtener su tarjeta de residencia, se puso furioso. Al menos al principio, pero luego dijo que sería bueno para mí tener a alguien. No estaba bien en aquel entonces.

—Entonces, ¿te casaste con ella?

—Sí. Se mudó conmigo. Fue agradable durante los primeros meses. —Me aprieta los dedos—. Entonces, ella comenzó a preguntarme sobre el trabajo. Pequeñas cosas, al principio. Dónde había estado, qué hacía exactamente, le dije que trabajaba para el gobierno y que no podía compartir ninguna información relacionada con el trabajo. Empezó a presionar más y más y se frustró cuando no dije nada. —Toma una respiración profunda—. Una noche, llegué a casa después de una larga misión. Estaba cansado y carente de sueño. Habíamos estado juntos durante seis meses hasta ese momento, no obstante, había dejado de dormir en nuestra cama dos semanas antes y planeaba pedirle que se mudara. Me quedé dormido en el sofá. Algo me despertó más tarde. No fue un ruido ni nada por el estilo. Dasha estaba bien entrenada como para dejarse notar. Tal vez fue un instinto. Un segundo, estaba profundamente dormido, y al siguiente, mis ojos se abrieron de golpe para encontrarla cerniéndose sobre mí con uno de mis cuchillos en mi garganta.

Levanta la mano y la coloca en el lado derecho de su cuello, sobre la cicatriz horizontal que noté mientras nos duchábamos.

—Dudé solo por un momento, lo suficiente para que ella comenzara a cortarme la piel, aunque luego mi entrenamiento entró en acción. La agarré y le rompí el cuello. —Niega con la cabeza—. A la mañana siguiente, Felix habló con sus contactos y logró pasar sus huellas a través de la base de datos internacional. Ella era una agente del gobierno ruso. Encontramos una cuenta de correo electrónico secreta en su teléfono donde estaba recibiendo sus órdenes. La última comunicación la mostró informando que yo no hablaría y pidiendo permiso para retirarse. La respuesta decía que me matara para que su identidad no fuera revelada.

Por Dios.

—¿La amabas?

—No sé. Tal vez. —Mira hacia la puerta. No me ha mirado ni una sola vez desde que empezó a hablarme de su esposa—. ¿Entiendes lo que podría haber sucedido antes?

Beso su espalda.

—Sí.

—Bien —asiente y comienza a levantarse, pero aprieto mis brazos y envuelvo mis piernas alrededor de él.

—Eso no significa que vas a irte a la otra habitación.

—Nena...

—Tú —le beso el hombro izquierdo—, te quedas aquí —otro beso en su brazo—, conmigo.

Dejo que mis manos viajen hacia arriba, enganchándolo debajo de los brazos, luego cambio todo mi peso hacia un lado. Se inclina conmigo hasta que ambos estamos acostados en la cama.

—Tus demonios no me asustan —le susurro al oído—. Olvidas que me crie en la guarida de una hiena, Sergei. Puede que sea culta. Mi padre se aseguró de que obtuviera la mejor educación, pero aun así pasé la mayor parte de mi vida rodeada de hombres malos o locos. —Tomo su mano y coloco su palma a un lado de mi muslo, sobre la cicatriz por la que me preguntó una vez—. No me caí de un árbol. Me secuestraron cuando tenía siete años. Una bala me alcanzó cuando el hombre de mi padre me sacaba de un cobertizo donde mi secuestrador me tenía a cambio de un rescate.

Jadea y le doy un beso en la nuca. Luego, levanto mi mano derecha, extendiendo mis dedos frente a su rostro para mostrarle la cicatriz larga y descolorida en mi palma.

—Uno de los hombres de seguridad de la residencia intentó violarme cuando tenía trece años. Me corté la mano cuando intentaba quitarle el cuchillo.

—¿Lo hizo? —Sergei pregunta, su voz apenas audible—. ¿Te violó?

—No. Estaba demasiado borracho. Tomé su arma, que dejó en la mesita de noche, y le disparé en su asqueroso pene. Gritó como un cerdo al ser sacrificado.

Sergei se da la vuelta para quedar frente a mí, y entierra su mano en mi cabello, el asombro es evidente en sus ojos.

—¿Sabes cómo disparar un arma?

—Todo el mundo en el complejo sabe cómo usar un arma. —Me río.

—¡Está llena de sorpresas, señorita Sandoval!

—Es supervivencia, supongo. —Me encojo de hombros—. Hasta mi nana sabe disparar. —Le doy una sonrisa, aunque es triste. Me duele pensar en ella, preguntarme si todavía está viva—. ¿Puedes recordarle a tu *Pakhan* su promesa?

—¿Qué promesa?

—Dijo que intentará obtener información sobre ella. No estoy segura si Diego la lastimó cuando descubrió que ella me ayudó a escapar.

—Lo haré, nena. —Se inclina hacia delante y me da un beso en la frente—. Vuelve a dormir.

—¿Te quedarás?

Siento que su pecho se eleva bajo mi mano mientras respira hondo.

—Me quedaré.

Sonriendo, entierro mi rostro en su cuello e inhalo su aroma salvaje, familiar y reconfortante, cierro los ojos y me deleito con la sensación de sus brazos envolviéndome y su aliento en mi cabello. Tiene miedo de lastimarme sin querer, no obstante, el hecho es que no recuerdo la última vez que me sentí tan protegida como al estar en abrazos de Sergei.

—No te atrevas a dejar esta cama —musito y me dejo llevar por el sueño.

Espero hasta que Angelina se duerma, luego me levanto, me dirijo a mi armario para ponerme algo de ropa y rebusco en los cajones hasta que encuentro mi reserva de cigarrillos. Tomo el paquete medio lleno y recojo mi teléfono en el camino, salgo de la habitación y le silbo a Mimi, que sube corriendo las escaleras un par de segundos después. Señalo la puerta del dormitorio y le doy la orden de vigilar, luego bajo las escaleras y salgo. Saco el cenicero escondido debajo del primer escalón, tomo asiento en el porche y llamo a Roman.

—¿Cómo está el chico? —pregunto.

—¡Dios, Sergei! —susurra-grita al teléfono—. Son las cinco de la mañana. —Se escuchan algunos sonidos, probablemente él dirigiéndose a otra habitación, luego una puerta cerrándose—. Él estará bien. Olga y Valentina han estado ocupadas siendo sus niñeras la noche entera.

—¿Saben que se ha acostado con las dos?

—Bueno, basado en la escena que me topé cuando fui a verlo antes, ciertamente lo saben. Lo encontré tirado en la cama, con Valentina a su derecha y Olga a su izquierda. Los tres acurrucados juntos.

—Qué bien.

—Sabes, a veces me pregunto si hay alguien que no esté loco bajo este techo —resopla—. ¿Cómo estás?

—Estoy bien. —Enciendo un cigarrillo y tomo una gran calada—. ¿Qué vamos a hacer con los irlandeses?

—Hice que Yuri y Dimitri quemaran ese bar de ellos. Y le envié un mensaje a Patrick, ya que asumo que él es quien se hará cargo ahora.

—¿En serio? ¿Cuál fue el mensaje?

—Tienen dos días para salir de Chicago. Todos los que se queden terminarán muertos.

—¿Crees que lo hará?

—Fitzgerald es un cobarde. Se irán.

—Bien. —Apoyo la espalda contra la barandilla y doy otra calada—. ¿Roman?

—¿Sí?

—Gracias —agrego—. Por aguantarme.

Hay unos momentos de silencio del otro lado antes de que responda.

—No tienes que agradecerme nada, Sergei. Eres bueno en lo que haces por la *Bratva*.

—Sí. Cuando no meto la pata o mato gente que no debería —bufo.

—Bueno, así es la cosa. —Bosteza—. Varya siempre pone demasiada sal en la sopa. Kostya choca autos todos los meses. Supongo que nadie es perfecto.

Me echo a reír. Solo Roman me compararía con la cocina de Varya.

—Llámame mañana para decirme cómo te fue con los irlandeses.

Corto la llamada y dejo caer mi cabeza en el poste detrás de mí, cerrando los ojos. Esperaba que llamar a Roman me distrajera de lo que pasó antes con Angelina. No lo hizo. Y no tengo ni idea de qué hacer con ella. Aunque sé que sería lo mejor, la sola idea de dejarla ir me hace querer enloquecer.

—¿Sergei?

Abro los ojos y encuentro a Angelina de pie en la puerta principal, envuelta en una sábana y mirándome con preocupación. Sus pies están descalzos, su cabello está enredado y sobresaliendo en todas direcciones, y tiene marcas de almohada en la mejilla izquierda. Mimi está seis pies detrás de ella, pero cuando me ve, ladra y se da vuelta, probablemente dirigiéndose a la sala de estar para dormir.

—Cogerás un resfriado —digo.

Angelina se encoge de hombros, cubre la distancia que nos separa con unos pasos rápidos y se sienta entre mis piernas, apoyándose en mi pecho.

—Ese es un hábito horrible. —Asiente hacia mi mano que sostiene un cigarrillo.

—¿Te molesta?

—No. Solo digo.

Apago el cigarrillo y retiro el cenicero.

—¿Está todo bien? —cuestiona.

—Sí. —Envuelvo mis brazos alrededor de ella y entierro mi nariz en su cabello, inhalando su aroma floral—. ¿Tú?

—Extraño a mi papá —musita, mirando el cielo del amanecer—. Es extraño. Nunca pasamos mucho tiempo juntos, especialmente en los últimos años. Solo iba a México durante las vacaciones de verano, y por lo general era por una semana o dos. Traté de mantenerme alejada de esa locura tanto como fue posible. Aun así, lo extraño.

—¿No eran cercanos?

—No diría que *no* éramos cercanos. —Se encoge de hombros—. No nos veíamos a menudo, pero él me llamaba sin falta todos los domingos por la noche. Estaba muy orgulloso de mí por haber ido a la universidad. Nadie en mi familia tenía educación superior.

—¿Fue tu papá quien insistió en que te mudaras a los Estados Unidos?

—Sí. Su objetivo principal era alejarme del cártel, y no quería que volviera a México todos los veranos, sin embargo, necesitaba verlos a él y a mi nana al menos una vez al año. Eran mi única familia.

Muevo la cabeza a un lado de su cuello y la acaricio con la nariz, amando la forma en que se inclina para darme más acceso.

—¿Y tu madre?

—Murió cuando yo era pequeña. Cáncer. Ni siquiera la recuerdo. Siempre fue solo mi papá y mi nana Guadalupe.

—La sacaremos —señalo y aprieto mi brazo alrededor de su cintura—. Lo prometo.

Angelina exhala y apoya la cabeza en mi hombro. No me parece que me crea, pero me juro a mí mismo que traeré a su nana aquí, sin importar las consecuencias.

—¿Sergei? —musita—. ¿Adónde vas cuando sufres un episodio?

Me quedo quieto por un momento, sorprendido por su

pregunta, luego apoyo mi barbilla en su hombro y miro al horizonte.

—No estoy seguro de cómo explicarlo —indico—. Es como si estuviera aquí, pero solo parcialmente. Puedo escuchar y ver lo que sucede a mi alrededor, aunque no puedo controlar mis acciones. Deberías mantenerte alejada de mí cuando estoy en ese estado. No quiero hacerte daño, ni siquiera sin querer.

Angelina se da vuelta para mirarme, sus ojos encuentran los míos y sostienen mi mirada mientras coloca su mano a un lado de mi cara.

—No creo que puedas hacerme daño, Sergei. Intencionalmente o no. —Inclina la cabeza hacia arriba hasta que sus labios se presionan suavemente contra los míos—. No te tengo miedo, grandulón.

—Deberías tenerlo, Angelina —susurro en su boca—. Nunca me has visto perderme por completo, nena. Si lo hubieras hecho, te habrías escapado y nunca habrías mirado atrás.

—¿Es eso lo que hacen otras personas cuando pierdes la cabeza? ¿Huir?

—Si son inteligentes, sí.

Angelina sonríe y coloca la punta de su dedo en mi nariz, trazando la línea por la cresta hasta llegar a mi boca.

—Bueno, no planeo correr, Sergei. De hecho, planeo acercarme aún más y abrazarte hasta que regreses de donde sea que vayas. —Su boca encuentra la mía, y mientras sus labios exploran, me olvido de la sangre y los asesinatos por un momento. La rabia con la que he vivido constantemente durante tanto tiempo retrocede.

Capítulo quince

Angelina

—¿A dónde vamos? —pregunto mientras caminamos hacia la motocicleta.

—Ya verás. —Sergei sonríe.

Entrecierro mis ojos hacia él e intento tomar la bolsa que está cargando.

—¿Qué hay adentro?

Mueve la bolsa fuera de mi alcance.

—Sin espiar.

—¿Vamos de picnic? ¿Empacaste *ketchup*?

—No vamos a un maldito picnic. —Ata la bolsa a la parte trasera de su motocicleta y me pasa el casco—. ¿Por qué te llevaría a un picnic?

—¿Porque a las chicas les gusta eso?

—Mentira. Ninguna chica quiere sentarse en el césped y comer en un plato de plástico mientras intenta ahuyentar a las hormigas y las moscas.

—Bueno, cuando lo pones de esa manera. —Me encojo de hombros y me subo a la motocicleta detrás de él.

Sergei enciende el motor, y rápidamente envuelvo mis brazos alrededor de su cintura, agarrándolo con fuerza. Ese primer tirón cuando despega es el peor. Incluso después de las numerosas veces que me ha llevado a dar un paseo, todavía necesito un par de minutos para adaptarme a la idea de estar en la parte trasera de una motocicleta. No puedo evitarlo. La idea de que los vehículos de dos ruedas no deberían existir no me abandona. Pero luego, recuerdo que es Sergei quien conduce, así que me relajo y me permito disfrutar de la descarga de adrenalina.

Lo he visto andar en motocicleta solo. Es una maldita locura. Sigo pensando que chocará con algo. Cuando lo vi haciendo esa idiotez sobre una rueda la semana pasada, casi me da un infarto. Sin embargo, nunca lo intenta cuando estoy con él, gracias a Dios.

Conducimos a lo largo de la carretera durante unos cuarenta minutos antes de que gire hacia una calle lateral y luego hacia un estrecho camino de tierra que conduce entre los campos. Estoy convencida de que estamos perdidos cuando reduce la velocidad y se estaciona. No hay nada alrededor excepto césped a lo lejos.

—¿Estamos perdidos? —inquiero cuando me quito el casco.

—No. —Sonríe, me toma por la cintura y me baja de la motocicleta—. Vamos.

Desata la bolsa de la parte de atrás, toma mi mano con la que tiene libre y me conduce a través del campo a nuestra derecha. Cien yardas más adelante, llegamos a una mesa de madera toscamente hecha, parada en medio de la nada. Un poco más lejos, noto varios soportes de metal con tablas a cada lado, colocados a diferentes distancias de la mesa. Blancos para práctica de tiro.

—No sabía lo que te gustaba —dice Sergei y pone la bolsa sobre la mesa.

Observo con los ojos muy abiertos mientras comienza a sacar diferentes pistolas y las alinea en la superficie de madera. Dos *Glock*. Una *Sig Sauer*, un modelo más pequeño. Una *Beretta*. Y dos pistolas más, no reconozco el fabricante, pero parecen militares.

—Elige. —Asiente hacia la variedad de armas.

Levanto una ceja.

—¿Me trajiste a una práctica de tiro?

—Es mejor que un picnic. —Sonríe—. Y quiero verte disparar.

Estrecho mis ojos hacia él.

—¿No me creíste cuando dije que sé cómo usar un arma?

—Por supuesto que te creí. —Se inclina y presiona sus labios contra los míos—. Pero quiero ver si realmente puedes atinarle a algo.

Sonrío en sus labios.

—Está bien.

Me da la vuelta para quedar de frente a la mesa y se para detrás de mí.

—¿Qué hay de la Sig? Esa sería la más fácil de usar para ti. ¿Sabes cómo desactivar el seguro?

Él es tan dulce.

—No me gustan las Sigs. —Extiendo la mano y tomo la *Glock* 19. Es relativamente liviana y tiene un sistema de doble retroceso. Compruebo el cargador—. Haré una ronda de seis. Y luego tú. Veremos quién acierta más.

Sergei se echa a reír.

—Trato hecho.

El primer objetivo está bastante cerca, así que decido ir por el segundo. Doy la vuelta a la mesa, levanto el arma y apunto a la tabla superior izquierda. Mi primer tiro es un éxito. Hago los siguientes tres también, luego fallo con el quinto. Diablos. El sexto tiro parece dar en el blanco. Pongo el seguro, bajo el arma y me doy la vuelta para encontrar a Sergei mirándome boquiabierto.

—Bueno, parece que logré atinarle a algo, *¿eh?* —Sonrío

Me mira fijamente durante unos segundos, luego me agarra por la cintura tan repentinamente que el arma se me cae de la mano. Levantándome, me pega a su cuerpo y nuestras bocas chocan.

Besos violentos y desesperados, luego:

—No hay nada más *sexy* que una chica que sabe manejar un arma. —Toma mi labio inferior entre sus dientes, mordiéndolo ligeramente—. ¿Cuándo aprendiste a disparar?

—Papá comenzó a enseñarme cuando yo tenía once años. —Envuelvo mis brazos alrededor de su cuello y entierro mis manos en sus mechones rubios. Tiene el cabello más bonito que he visto en mi vida—. Ahora tú.

Sergei se ríe y me deja en el suelo. Alcanza una de las armas que no reconocí. Mientras la revisa, camino a su alrededor para pararme a su espalda. Espero hasta que levanta el arma para apuntar, luego coloco mis manos en su cadera. Lentamente deslizo mis manos a lo largo de la cintura de sus *jeans* hacia el frente, luego bajo hasta que mis manos descansan sobre su entrepierna.

—¿Angelina? —Me mira por encima del hombro—. ¿Qué estás haciendo?

—¿No te entrenaron para trabajar en circunstancias duras ? —Sonrío y masajeo su longitud a través de sus *jeans.*

Una comisura de su boca se levanta. Vuelve a mirar al objetivo y lanza la bala por los aires. Da en el blanco. Necesito mejorar mi juego. Presiono mis senos contra su espalda, desabrocho el botón de los *jeans* y bajo su cremallera. Dispara de nuevo. Otro golpe perfecto. Maldición. Deslizo mi mano adentro.

—Creo que nunca he tenido sexo en un campo —digo y saco su pene, acariciándolo, disfrutando la forma en que instantáneamente se pone duro. Suena un disparo. Miro hacia el objetivo—. Vaya. Parece que fallaste, cariño. ¿Te estoy distrayendo?

—No. —responde cortante.

—Está bien. Le puede pasar a cualquiera. —Me agacho debajo de su brazo levantado y me paro frente a él. Suena otro disparo, sin embargo, no me doy la vuelta para comprobar en dónde impactó. En cambio, caigo de rodillas y lamo la punta de su miembro.

Sergei gime.

—No te preocupes por mí. Por favor, continúa. —Agarro su pene ahora completamente erecto con mi mano derecha, acariciándolo mientras mi mano izquierda se desliza debajo de su camisa.

Susurra gruñendo. Otro disparo, seguido de un sinnúmero de maldiciones en ruso. Sonrío y lamo su longitud de nuevo. Hay un golpe en el césped a mi lado donde Sergei arroja su arma y, al momento siguiente, me encuentro tirada en el suelo con su cuerpo sobre el mío.

—Pequeña tramposa. —Muerde mi barbilla mientras

sus manos hurgan en mis *shorts*—. Tres fallos de cinco. No te atrevas a decirle a nadie.

—Tu secreto está a salvo conmigo —prometo, luego jadeo cuando su dedo se desliza dentro de mí.

Rodea mi clítoris con su pulgar mientras su dedo empuja aún más profundo, y siento mi humedad derramándose por toda su mano. Mi espalda se arquea cuando desliza otro dedo, estirando mis paredes, y casi me vengo, pero el maldito retira su mano abruptamente.

—Tengo una idea increíble que me gustaría discutir —susurra junto a mi oído, luego muerde mi lóbulo.

—¿Ahora? —agrego y agarro su pene—. La única discusión que va a ocurrir en este momento es entre tu polla y mi coño.

El brazo de Sergei se envuelve alrededor de mi cintura y nos hace rodar hasta que está debajo de mí, con mi cuerpo sobre su pecho. Me coloco a horcajadas sobre él, ubicándome por encima de su dura longitud, y lentamente bajo mi cuerpo hasta que lo tomo por completo.

—¿Cómo te sientes acerca de hacerte un tatuaje? —pregunta y agarra mis nalgas.

—No pasará —exhalo mientras lo monto.

—Puede ser uno pequeño. —Me aprieta el trasero y me levanta, sosteniéndome por encima de su miembro—. A cambio te enseñaré a disparar un rifle de francotirador.

Sus ojos azul pálido me miran con un brillo travieso. Extiendo la mano y acaricio su mandíbula con mi dedo.

—¿Y qué quieres que me tatúe, maníaco?

Los labios de Sergei se ensanchan en una sonrisa, y al instante siguiente me sienta de golpe contra su pene. Jadeo y me muerdo el labio inferior cuando comienza a empujar hacia mí.

—Nada especial —continúa, acelerando el ritmo—, solo un par de palabras.

Echo mi cabeza hacia atrás y disfruto la sensación de él golpeando dentro de mí desde abajo. Las manos de Sergei se deslizan por debajo de mi camiseta y se elevan para apretar mis pechos. Lo miro y paso mis manos por sus brazos musculosos, sintiéndolo tensarse bajo mis dedos.

—¿Qué palabras?

Sergei sonríe. Dios mío, es tan hermoso. Espero no volver a ver esa mirada vacía en sus ojos nunca más. Vuelve a chocar contra mí y grito mientras me vengo, pero sigo moviendo mi cadera, disfrutando el orgasmo hasta que me desplomo sobre su pecho. Mueve sus manos a mi cintura para sostenerme a la par que continúa penetrándome sin cesar con fuerza. Después de unos cuantos golpes más duros, encuentra su liberación.

Cruzo mis brazos sobre su pecho y coloco mi barbilla en mis manos, observándolo. Sus ojos están cerrados, su respiración dificultosa. No ha respondido a mi pregunta, pero adoro la dicha absoluta que veo en su rostro.

—¿Qué palabras quieres que me tatúe, Sergei?

—¿Importa? —Abre un ojo.

—Por supuesto que importa. —Arrugo la nariz hacia él y niego con la cabeza.

—Estaba pensando en algo similar a *Prinadlezhit Sergeyu Belovu.* —Cierra los ojos de nuevo—. En tu espalda baja. ¿Qué opinas?

Lo miro boquiabierta, pero una vez que supero el *shock*, digo:

—No me marcarás como tu posesión.

—¿Por qué no? —Se encoge de hombros, luego abre los ojos para mirarme.

Lo miro. Lo dice en serio. Una sensación cálida estalla dentro de mi pecho, extendiéndose hasta llenar todo mi cuerpo. Levantándome para que mi cabeza esté justo encima de la suya, me inclino para susurrarle al oído.

—Está bien —murmullo.

Sergei gruñe, me agarra por la nuca y reclama mi boca.

Capítulo dieciséis

Abro la bolsa de comida para perros y tomo el tazón de Mimi mientras brazos se envuelven alrededor de mi cintura y un beso aterriza en la parte superior de mi cabeza.

—¿Por qué no me despertaste? —Sergei pregunta y apoya su barbilla en mi hombro, observando mientras vierto comida para perros en el plato.

—Apenas duermes. —Lo miro de reojo—. ¿Cuándo planeas empezar a dormir en la cama?

Ha pasado casi un mes desde que dormimos juntos por primera vez. Todas las noches desde entonces, nos acurrucamos juntos en la cama, pero cuando me despierto, Sergei está durmiendo en el suelo. Traté de convencerlo de que se quedara conmigo, sin embargo, solo negó con la cabeza, esperó a que me durmiera y luego se movió hacia su saco de dormir en el piso junto a la cama.

—¿Felix está por aquí? —Siempre cambia de tema cuando empiezo a hablar de esto.

—No lo he visto —respondo.

—Probablemente esté en casa de Marlene. Vamos a pasear a Mimi antes del desayuno.

Sergei silba y Mimi llega corriendo por la esquina. Levanta la cabeza para que Sergei le rasque el cuello, luego se vuelve hacia mí y me lame la palma de la mano. Todavía me cuesta creer que un perro de aspecto tan aterrador tenga una personalidad tan apacible. Felix dijo una vez que Mimi puede matar a un hombre en menos de un minuto, no obstante, al mirarla mientras corre a nuestro alrededor, primero empujando a Sergei y luego a mí con la nariz, me pregunto si solo se estaba burlando de mí.

—Sé lo que tú y Felix hicieron antes de que te unieras a la *Bratva* —digo mientras caminamos por la acera, haciendo que Sergei se detenga en seco.

—¿Te dijo? —pregunta entre dientes—. ¿Cuándo?

—Hace tiempo. —No menciono que la mayor parte lo obtuve del *Pakhan*, y Felix solo llenó los huecos.

—Lo voy a matar.

Aprieto su mano.

—¿Cómo fue? El entrenamiento, quiero decir. Sé que no puedes hablar de las misiones.

Sergei respira hondo, envuelve su brazo alrededor de mi cintura y nos lleva hacia el parque.

—Lo creas o no, me gustaba —comenta—. No estaba bien cuando me trajeron y me ofrecieron un propósito. Un sentido de pertenecer, en cierto modo. Se sintió bien. Al principio, al menos.

—¿Cómo eran los otros chicos en el grupo? ¿Eran amigos?

—No puedo decir que fuéramos amigos, exactamente. —Se encoge de hombros—. Sin embargo, estábamos juntos en esto, por lo que se creó una sensación de camaradería.

—¿Sabes dónde están ahora?

—Uno murió en una misión al principio. David. Era un buen chico. Al otro, Ben, lo maté —confiesa y me mira, esperando mi reacción. Probablemente fue el tipo que mencionó Felix, el que lo atacó mientras Sergei estaba desconectado de la realidad. Lo miro directamente a los ojos sin pestañear.

—¿Y los demás? —inquiero.

Sergei me observa durante unos segundos, luego mira hacia otro lado y sigue caminando.

—Kai y Az. Kai era un tipo extremadamente trastornado, violento y agresivo. Cuando se obsesionaba con algo, nadie podía hacerlo cambiar de parecer. Tuvieron que inmovilizarlo un par de veces. Az era todo lo contrario: retraído y aislado. Durante todos los años que pasamos juntos, creo que habló menos de veinte frases con el resto de nosotros. —Sonríe—. Sin embargo, jugaba bien al póquer. Ni siquiera Felix, con todas sus trampas, podía vencerlo.

—¿Az? —pregunto—. Ese es un nombre inusual.

—Es un apodo. Nadie sabía cuál era su verdadero nombre. No quiso decirlo. Kruger, el tipo que dirigía la unidad, trató de sacárselo a golpes. Lo recogió de la calle sin documentos, y cuando revisaron las huellas digitales de Az, no encontraron nada. Pero incluso cuando Kruger le rompió el brazo, él no dijo su nombre ni nada en absoluto. Entonces, terminó siendo simplemente Az. —Se ríe a carcajadas—. Loco hijo de puta.

—¿Qué les pasó?

—Supongo que Kai todavía está trabajando para el gobierno. Az desapareció seis meses antes de que Felix y yo nos fuéramos.

—¿Desapareció en una misión?

—*Nop*. Simplemente desapareció. —Sergei mira a Mimi, que corre entre unos árboles, y silba—. Hubo un accidente de tránsito. La esposa de Az murió a causa de un conductor ebrio. Al día siguiente, encontraron su casa reducida a cenizas. Sin rastros de Az.

—Dios. ¿Alguien quemó su casa?

—Él mismo la incendió.

—¿Cómo puedes estar tan seguro?

—Todos en la unidad tenían una especialidad. Por lo general, me enviaban cuando era necesario eliminar a varios enemigos simultáneamente. Az manejó misiones encubiertas, y cuando necesitaban a alguien muerto sin levantar sospechas, era un éxito. Su técnica favorita era quemar cosas tan bien que el equipo forense no podía encontrar una mierda.

—¿Crees que todavía está vivo?

Sergei sonríe.

—Az es extremadamente difícil de matar. Está vivo.

Apenas entramos en la casa cuando suena el teléfono de Sergei. En el momento en que mira la pantalla y ve el número de la persona que llama, su postura cambia de relajada a tensa. Su brazo rodea mi cintura, presionándome contra su costado mientras levanta el receptor a su oreja.

—Diego —dice, y me tenso—. ¿Qué puedo hacer por ti?

No puedo escuchar la respuesta de Diego, pero por la forma en que el brazo de Sergei alrededor de mi cintura se relaja, no es nada malo. Exhalo. Por un momento, tuve miedo de que de alguna manera descubriera dónde estoy.

—Está bien. Esta noche, a las diez. Te enviaré las coordenadas. —Sergei corta la llamada—. Me reuniré con los hombres de Diego esta noche. Lástima que él no vendrá.

—Él nunca se arriesgaría a venir personalmente a los Estados Unidos —indico—. ¿Crees que sabe que estoy aquí?

—Lo dudo. Habría insinuado algo si lo supiera. —Baja la cabeza y me da un beso en la mejilla—. No te preocupes, terminaré con ese hijo de puta en el momento en que surja la oportunidad.

—Sergei, no. —Agarro su mano y lo giro hacia mí—. Tiene demasiados aliados. Si le haces algo a Diego, uno de ellos te matará.

—Pueden intentarlo. —Sonríe, aunque no es una sonrisa que esté acostumbrada a ver en él. Luce calculador y aterrador. Una sonrisa de un depredador que tiene a su presa en la mira.

Cada vez que veo a Sergei con un traje, me sorprende la transformación. Se fue el tipo de aspecto aterrador con el cabello despeinado y su cuerpo cubierto de tinta. En su lugar, se encuentra un hombre de negocios, alguien que podría pasar por el CEO de una empresa o por un político.

Sacudo la inexistente mota de polvo de su chaqueta.

—¿Dónde vas a reunirte con los hombres de Diego?

—En uno de los almacenes. Pasha ya no me deja usar los clubes.

—¿Por qué no?

—Hice un poco de desorden la última vez.

—¿Qué? ¿Te emborrachaste o algo?

—Yo nunca bebo, nena. Ya estoy bastante loco como estoy. —Ríe.

—No. —Presiono la punta de mi dedo sobre sus labios—. Tú no estás loco. Y quiero que dejes de decir eso —lo reprendo, y las comisuras de sus labios se levantan como si hubiera dicho algo gracioso—. Despiértame cuando vuelvas, ¿de acuerdo?

—No volveré antes de las dos o las tres de la madrugada. A los hombres de Diego les gusta hablar.

—No importa. —Me pongo de puntillas para besar suavemente sus labios, pero envuelve una mano alrededor de mi espalda y me presiona contra su cuerpo, luego ataca mi boca.

Detrás de mí, Felix se aclara la garganta.

—Sergei. Llegarás tarde —señala.

—Vete a la mierda, Albert —murmura Sergei en mi boca, luego continúa devorando mis labios durante cinco minutos más. Roza mi mejilla con el dorso de su mano antes de irse.

—¿Ocurrieron más episodios? —Felix cuestiona en el momento en que Sergei cierra la puerta detrás de él.

—No. No durante el último par de semanas.

—Bien. —Camina hacia el armario junto a la nevera y saca su *laptop*. La lleva a la mesa del comedor y comienza a conectar los cables.

—¿Planeas ver la reunión?

—Sí —asiente—. Hay dos cámaras en el almacén del norte.

—¿Siempre haces eso?

—No. Sin embargo, tengo un mal presentimiento sobre esta reunión.

—¿Por qué?

—No sé. Solamente la tengo. —Enciende la computadora portátil—. ¿Puedes llevar a Mimi a hacer sus necesidades? Tengo que configurar la conexión.

—Claro.

En el momento en que quito la correa del soporte de la pared, Mimi corre a mi lado y comienza a empujar mi mano. Abrocho la correa en su collar, sabiendo que no serviría de mucho si ella decidiera irse. Ella pesa más que yo por al menos cuarenta libras. Menos mal que se porta bien, a menos que haya flores alrededor. Tendré que asegurarme de mantenerme alejada del jardín de la anciana Maggie.

Inicialmente planeé dar un paseo corto, pero es una noche hermosa. En lugar de quedarme cerca de la casa, llevo a Mimi hacia una espesura de árboles a unas cuadras de distancia. Estamos casi al borde cuando me doy cuenta de que una mujer camina por la acera y mira en nuestra dirección. Parece vagamente familiar, probablemente una vecina con la que nos hayamos cruzado antes. Levanto la mano en un gesto casual. La mujer me mira por un segundo, mira a Mimi, luego devuelve el saludo y continúa por el camino.

Doy un paso hacia los árboles, aunque Mimi permanece clavada en el mismo lugar, observando los alrededores y dejando escapar un extraño gruñido discreto. No se mueve, incluso cuando tiro de la correa, hasta que la mujer desaparece por la esquina.

—No eres fanática de las pelirrojas, *¿eh*? —murmuro.

Paso casi una hora deambulando por el vecindario con Mimi. Cuando subo los escalones hasta la puerta principal de la casa de Sergei, estoy lista para dormirme. Sin embargo, en el momento en que abro la puerta, la voz de Felix me despierta de inmediato. Está sentado frente a su *laptop*, hablando con alguien por teléfono, pero al verme, levanta la cabeza.

—¡Ven aquí! —Hace un gesto con la mano y continúa hablando por teléfono—. Intenta acercarte a él por detrás y ponle el teléfono en la oreja. Ten cuidado, Yuri. Puede que no te reconozca.

Corro a la cocina y doy la vuelta a la mesa para estar de pie junto a Felix. Abro la boca para preguntar qué está pasando, pero cuando mis ojos se posan en la pantalla, las palabras mueren en mis labios. El video muestra a Sergei de pie junto a un hombre tirado en el capó de un auto. La mano derecha de Sergei está alrededor de la garganta del hombre mientras golpea la cabeza del tipo contra el vehículo. A su derecha, hay dos hombres más tirados en el suelo, ninguno de los cuales se mueve. El más cercano a Sergei tiene la cabeza girada en un ángulo antinatural, mientras que el otro está boca abajo, en un charco de sangre a cada lado. Mientras observo, un hombre de cabello oscuro con una camisa blanca se acerca a Sergei por detrás, sosteniendo un teléfono en su mano extendida.

—Háblale. —Felix empuja el receptor en mi mano.

Presiono el celular contra mi oreja, sin embargo, me toma unos momentos recuperarme lo suficiente para formar las palabras.

—¿Sergei? —Me atraganto, sin mover los ojos de la pantalla. No reacciona—. ¡Sergei! —grito al teléfono.

La cabeza de Sergei salta hacia un lado. Se queda mirando el teléfono que Yuri sostiene durante uno o dos latidos, luego se acerca y lo presiona contra su oído.

—¿*Lisichka*? —pregunta, su voz perfectamente tranquila, como si lo hubiera atrapado mientras tomaba su café de la mañana—. ¿Pasa algo?

Miro a Felix, quien asiente y me indica que continúe. Solo lo miro. ¿De qué espera que hable?

—Yo... Yo estaba paseando a Mimi y ella comió algo. No vi que. Empezó a toser y luego vomitó.

Felix cierra los ojos y asiente.

—Tal vez deberíamos llevarla al veterinario —continúo—. ¿Puedes venir a casa?

—¿Sigue vomitando?

Miro a Mimi, que está tirada en el sofá de la sala de estar, roncando, y luego vuelvo a mirar la pantalla. Sergei todavía tiene su mano izquierda alrededor de la garganta del tipo.

—Sí. ¿Puedes venir, por favor?

—Estaré allí en media hora. —Suelta al hombre y comienza a caminar hacia el otro extremo del almacén donde está estacionado su coche—.Ve a buscar a Albert para que te ayude hasta que yo llegue, por si acaso. El viejo murciélago probablemente esté dormido, despiértalo.

Le arroja el teléfono a Yuri, se sube a su auto y unos momentos después sale del almacén. Bajo el móvil a la mesa y me giro hacia Felix, que está desplomado en su asiento, sacudiendo la cabeza.

—¿Qué pasó? —indago y me dejo caer en la silla frente a él.

—Diego Rivera envió a sus hombres a entregar el mensaje de que subirá los precios en un veinte por ciento.

—¿Sergei se puso furioso por eso?

—No. Simplemente les informó que no compraremos más productos de ellos —suspira—. Pero cuando le dijeron que Diego ahora tiene la mayor parte del mercado después de matar a Manny Sandoval y llevarse a su hija, Sergei estalló.

—Jesucristo. —Pongo mis codos sobre la mesa y presiono las palmas de mis manos contra mis ojos—. ¿Esto sucede a menudo?

—No. Creo que la mención de que Rivera te tenía lo provocó. ¿Cuánto está durmiendo?

—No sé. Cuatro horas, tal vez cinco. —Me encojo de hombros—. Por lo general, se va a dormir después de mí, así que no puedo estar segura.

—¿Ustedes dos duermen en la misma cama?

—Espera hasta que me duermo, luego coge su saco de dormir y pasa la noche en el suelo.

—Bien. Déjalo de esa forma.

—Ciertamente no continuará de esa manera —rebato—. He estado tratando de convencerlo de que duerma en la cama conmigo durante semanas.

—¿Qué? ¿Estás loca?

Cruzo los brazos frente a mí y fijo a Felix con mi mirada.

—¿Alguna vez se les ocurrió que, tal vez, si todos dejaran de tratarlo como si fuera un animal salvaje, él podría mejorar?

—¿Viste lo que pasó allí, Angelina? —Señala la *laptop*—. ¿Sabes cuánto tiempo necesitó para dominar a tres hombres armados? ¡Quince segundos! —grita—. Creo que Roman y yo cometimos un error al poner todo esto sobre ti. Una chica tan sobreprotegida como tú no puede entender de lo que algunas personas son capaces.

Inclino mi cabeza hacia un lado y lo miro.

—¿Sabes cómo tratan a los soplones en el cártel, Felix? ¿O a los ladrones?

—No.

—Entonces déjame explicarte lo sobreprotegida que he estado. —Me recuesto en mi silla y miro por la ventana hacia el jardín—. Había un gran árbol no muy lejos de nuestra casa, justo detrás de la jardinera de flores, donde me encantaba jugar. No sé qué clase de árbol era, pero tenía ramas muy largas y gruesas. Resistentes —explico—. Cuando atrapaban a alguien dando información a las autoridades u otros cárteles, lo colgaban de una de las ramas inferiores. Colgar gente era el castigo favorito de mi padre. Por lo general, me aconsejaban que no fuera a esa parte del jardín cuando el árbol estaba ocupado.

—Por Dios, maldición. —Felix me mira fijamente, con los ojos muy abiertos—. ¿Hicieron eso con niños alrededor? ¿Y si algunos de ellos veían los cuerpos?

—*Oh*, por supuesto que vimos los cuerpos. Todos estaban presentes cuando ahorcaban a alguien. Era obligatorio. Una especie de advertencia. Mi nana no quería que fuera allí por el olor.

—¿El olor?

—Sí, a veces dejaban los cuerpos por un día o dos. El hedor era tan fuerte que incluso después de que quitaban los cadáveres, el olor permanecía en mi nariz durante días. —Me encojo de hombros—. Luego, estaba la cacería. Eso se usaba principalmente para los ladrones.

Encuentro muy divertida la forma en que Felix me mira

boquiabierto, como si me estuviera viendo por primera vez. Estoy bastante segura de que sabe qué tipo de cacería era, pero continúo de todos modos.

—La gente de mi padre ataba las manos de los ladrones a la espalda y los enviaba descalzos al bosque. Una ventaja inicial de veinte minutos era lo que normalmente obtenían. Luego, tomaban las armas y salían a cazarlos. A veces, cuando se perseguía a varios ladrones, duraba toda la noche. Me acostaba en mi cama y escuchaba un disparo ocasional, preguntándome si dieron en el blanco o no. —Pongo las palmas de mis manos sobre la mesa y me inclino hacia adelante—. Así que no te atrevas a sacar conclusiones sobre lo que puedo o no puedo enfrentar, Felix.

Me levanto y camino hacia el refrigerador, tomo una lata de Coca-Cola, luego me dirijo a la sala de estar para esperar a Sergei.

—Cuando venga Sergei, fingiremos que no pasó nada —ordeno al pasar.

—¿Angelina?

Me detengo y miro a Felix por encima del hombro.

—¿Sí?

—¿Esto significa que te vas a quedar?

—Sí, así es.

Capítulo diecisiete

Angelina

La sábana comienza a deslizarse por mi cuerpo. Agarro el borde para mantenerla sobre mí y apenas abro un ojo. Todavía está oscuro afuera. Hay otro tirón en la tela, más fuerte esta vez, y la cubierta se desliza entre mis dedos.

—¿Qué hora es? —murmuro y entierro mi cara en la almohada.

—Las cinco y media —susurra Sergei en mi oído y me da un beso en la nuca—. Necesito tu ayuda con algo.

—¿Qué?

—Esto.

Siento su cuerpo presionando contra mi costado, su erección empujando mi cadera, y sonrío.

—Abrimos a las siete. Si quieres que te atienda, tendrás que esperar.

—*Oh*, qué pena. —Sus labios se mueven a un lado de mi cuello—. En ese caso, tendré que hacerme cargo yo mismo. —Inclino la cabeza y abro los ojos, observándolo mientras alcanza el cajón de la mesita de noche y saca el cuchillo para carne de mi escondite—. Sabía que tu obsesión por los utensilios afilados de cocina sería útil —indica, mientras el frío metal presiona la parte baja de mi espalda donde se ha subido mi camiseta—. Espero que no estés demasiado apegada a esta camisa, nena.

—¿Qué estás haciendo?

—Haciéndome cargo —expresa y, deslizando el cuchillo debajo de mi camiseta, corta la tela desde el dobladillo hasta el cuello.

Empiezo a darme la vuelta, pero él presiona su mano en el centro de mi espalda, manteniéndome en mi lugar. Su otra mano se mueve debajo de mi cuerpo y luego se desliza por mi estómago hasta llegar entre mis piernas.

—¿Sergei?

—*Shhh*... Dijiste que no estás disponible en este momento —gruñe junto a mi oído y aprieta mi sexo con la palma de su mano—. Por lo tanto, no se te permite moverte. O hablar.

Un escalofrío recorre mi cuerpo ante sus palabras, y luego otro cuando siento el metal frío en mi cadera. Un jalón rápido y la tira de mis bragas se rompe. Cambia el cuchillo al otro lado de mi cadera y corta la tira. Me alzo para quitarme las bragas arruinadas, pero la mano de Sergei se envuelve alrededor de mi muñeca.

—Dije... Que no te muevas, nena. —Suelta mi mano y presiona su palma en la base de mi espalda, manteniendo mi pelvis apretada contra la cama—. Ni siquiera una pulgada.

Levanta su otra mano de mi coño, trazando sus dedos sobre mi cadera, luego por mis nalgas y entre mis piernas. Las bragas que todavía están atrapadas entre mi cuerpo y la cama comienzan a deslizarse mientras él las tira hacia atrás y hacia arriba, el material de encaje provocando mi centro. Un pequeño gemido sale de mis labios por la inesperada sensación. Luego, cambia el ángulo antes de quitarlas por completo. Aprieto la almohada y hundo la cara en ella, gimiendo.

—Ni un sonido, Angelina —susurra Sergei y empuja su dedo dentro de mí.

La almohada cubre mi gemido, pero cuando agrega otro dedo, un pequeño grito se me escapa.

—¿Escuché algo, nena? —Me acaricia la espalda con la palma de la mano mientras desliza sus dedos más profundo—. Creo que sí.

Un segundo después, siento sus dientes en mi trasero, mordiendo. Gimo ruidosamente en la almohada por el dolor que me inflige. Hace tijeras con sus dedos dentro de mi sexo adolorido y siento las señales reveladoras de que estoy a punto del orgasmo. Sergei hace un movimiento impresionante con sus dedos dentro de mí y todo mi cuerpo explota. Me vengo por toda su mano. Los temblores aún sacuden mi cuerpo cuando el brazo de Sergei se envuelve alrededor de mi cintura, tirando de mí hasta colocarme en la cama en cuatro patas.

—Abre las piernas, nena —ordena y se mueve detrás de mí. El brazo alrededor de mi cintura se aprieta—. Un poco más. Sí, eso es perfecto.

Quita sus dedos de mi coño y desliza su longitud dentro, estirando lentamente mis paredes. Jadeo. No hay mejor sentimiento en el mundo que ese primer empujón lento, cuando puedo sentir mi cuerpo ajustándose a él. Cuando está completamente adentro, envuelve ambos brazos alrededor de mi cintura y se inclina para colocar un beso en el centro de mi espalda. Está diciendo algo en ruso, aunque no puedo discernir las palabras. Un escalofrío sacude mi cuerpo de todos modos. Lentamente, se retira, luego me golpea de nuevo, y la presión en mi centro se intensifica. Agarro la almohada, apretándola. Otro empujón, estirándome aún más mientras se entierra hasta el fondo.

—Respira, nena.

Sí, supongo que olvidé hacerlo. Tomo una bocanada de aire mientras continúa penetrándome. Con el ritmo intenso de sus embestidas profundas dentro de mí, vuelvo a tener un orgasmo. Estrellas blancas resplandecientes explotan frente a mis ojos.

Espero que continúe, pero en lugar de eso, se aparta y envuelve su brazo alrededor de mi cintura, luego me acomoda sobre mi espalda.

—Quiero que me mires mientras me vengo dentro de ti —susurra y cubre mi cuerpo con el suyo, entrando en mí de nuevo.

Envuelvo mis piernas alrededor de él y aprieto.

—¿Por qué?

Su miembro sale y luego se estrella contra mí.

—Porque, cuando me miras, recuerdo que todavía estoy vivo.

Comienza a balancearse dentro de mí. Duro. Salvaje. Sin dejar nada atrás. Luego más rápido, hasta que apenas puedo respirar entre embestidas. Me vengo por tercera vez mientras acaba en mí.

Ya es de mañana. Debería levantarme y empezar a prepararme para el trabajo, sin embargo, no puedo obligarme a moverme.

—Albert ha estado buscando durante una semana su tenedor para trinchar —informo, mientras acaricio la espalda de Angelina—. Lo vi en el armario, detrás de tus camisetas.

—¿No puede comprar otro? —murmura en mi pecho.

—¿Por qué? ¿Para qué conseguir otro... estás apegada a él por alguna razón?

—Tal vez. —Sube por mi cuerpo, acariciando el hueco de mi cuello con su nariz—. Tiene un mango muy largo. Un alcance increíble.

—Entonces, ¿planeas quedártelo?

—Definitivamente. También tomé el cuchillo *santoku,* ya que me lo ofreciste. Está detrás de tu colección de libros de Stephen King en el estante.

Que apropiado.

—¿Por qué sigues coleccionando armas? —pregunto—. ¿Crees que alguien aquí quiera hacerte daño?

—Por supuesto que no. Es una obsesión. —Se encoge de hombros—. Me hace sentir más segura saber que tengo un arma al alcance de mi mano en cualquier momento. Empecé a hacerlo cuando tenía siete años, después de que me secuestraron por primera vez.

Mi mano se detiene en medio de su espalda.

—¿La primera vez?

—Sí. Tenía catorce años la segunda vez. Me liberaron después de que mi papá pagó el rescate. Después de eso, me envió a los Estados Unidos.

—Debe haber sido duro. Estar sola. En un nuevo país.

—No estuvo tan mal. —Coloca su palma en mi pecho y suspira—. Más que nada fue extraño. Aunque en un buen sentido. No tener que cuidarme todo el tiempo. Gente viviendo una vida normal.

—¿Tenías amigos?

—Algunos. Eran más como conocidos. Encontré muy difícil conectarme con chicas cuyas principales preocupaciones eran qué ropa iban a usar ese día, o qué chico las notaba —resopla—. Parecía tan tonto. Y yo estaba un poco celosa de ellas, supongo. Terminé prefiriendo los libros por sobre las personas.

—Eso me recuerda. Albert me pidió que te dijera que ayer llegó un paquete para ti. Lo puso en la sala de estar. —Bajo la cabeza para susurrarle al oído—. Dijo que miró adentro y encontró un montón de libros con hombres desnudos en las portadas, y ahora cree que lees porno.

—Es pornografía mental —agrega inexpresiva.

Me echo a reír.

—¿Debería preocuparme?

—No sé. ¿Deberías? —Inclina su cabeza, desliza su mano dentro de mi bóxer y envuelve sus dedos alrededor de mi polla—. Algunos de esos libros establecen estándares muy altos.

—¿En serio? —La tomo por la cintura y nos hago rodar hasta que quedo encima de ella—. Deberías saber una cosa, nena. Soy una persona extremadamente competitiva.

—Qué suerte la mía. —Sonríe y se quita las bragas.

Un toque de una mano en mi pecho, y mis ojos se abren de golpe. El aliento de Angelina roza mi costado mientras se acurruca en mí, y una de sus piernas se acerca a la mía.

—¿Angelina?

—¿Sí? —musita en mi pecho.

—Tienes que volver a la cama, nena.

—No. Vuelve a dormir.

Cierro mis ojos. Ha estado insistiendo en que compartamos una cama durante semanas, tratando de escabullirse en medio de la noche para acostarse a mi lado. Me mata decirle que no una y otra vez, pero no puedo arriesgarme. Maldición, no entiende lo asustado que estoy de que pueda lastimarla de alguna manera. En consecuencia, como todas las noches, deslizo mi mano por su cuerpo y le quito las bragas.

—No funcionará esta vez, Sergei —susurra y besa mi hombro.

—¿Qué?

—Tu estrategia de cogerme hasta dejarme inconsciente, dejándome casi comatosa para poder llevarme a la cama una vez que me duerma.

—Soy un bastardo manipulador. —Envuelvo mi brazo alrededor de su cintura y nos doy la vuelta de modo que me coloco encima de ella, luego me inclino y la beso.

—Sí, lo eres —asiente y jadea cuando mi dedo comienza a juguetear con su clítoris.

La beso suavemente a un lado de su cuello, mordiendo cuando llego al punto sensible debajo de su oreja que encontré unos días antes. Luego, me muevo hacia abajo, hasta llegar a su seno derecho. Angelina gime mientras lamo lentamente alrededor de su pezón, manteniendo el mismo ritmo que con mi dedo en su clítoris, antes de cambiar al otro. Su espalda se arquea mientras deslizo mi lengua por su estómago hasta llegar a su coño. Dos lamidas lentas en su hendidura antes de que llegue a su clítoris y lo chupe con mi boca. Los sonidos que hace, como un pequeña gatita, me están volviendo loco.

Entierra sus manos en mi cabello, tirando mientras lamo su sexo unas cuantas veces más antes de dejar que mi lengua viaje hacia arriba de nuevo, todo el camino hasta sus labios.

—Mi zorrita —susurro en su boca y tomo su rostro entre mis manos, mirando sus ojos oscuros. Tan valiente. Y terca. Mirándome sin rastro de aprensión o repugnancia en ellos. Me pregunto si sabe lo locamente *enamorado* que estoy de ella. Besando mi camino a un lado de su cuello, mordisqueo su delicada piel—. Eres lo único que mantiene alejada mi oscuridad, *lisichka*. —Beso su hombro—. Si un día, decides que has tenido suficiente de mi mierda, solo vete y nunca mires atrás. Y asegúrate de esconderte muy bien.

—¿Por qué? —pregunta y envuelve sus piernas alrededor de mi cintura.

—Porque te seguiré y te arrastraré de regreso. Y no hay ningún lugar en el que puedas esconderte si decido perseguirte, Angelina.

Ella me mira a los ojos mientras una sonrisa traviesa se forma en sus labios.

—Entonces, es algo bueno que me quede.

Paso mis dedos por su cabello, tirando de los suaves mechones. Nuestras miradas se encuentran, y empujo mi polla dentro de ella. Sin soltarla, salgo lentamente antes de volver a entrar. Mi mano izquierda se envuelve alrededor del cuello de Angelina, sintiendo los latidos de su corazón bajo mi mano. Nunca me di cuenta de lo muerto que me sentía por dentro hasta que esta zorrita tropezó en mi camino y me sacó del abismo.

Jadea cuando la penetro, una y otra vez, mientras se aferra a mis hombros. Probablemente tendré rasguños en toda mi espalda mañana. Darme cuenta de eso casi me empuja al límite. Mis bolas se tensan, así que aprieto los dientes. Conteniéndome, cambio el ritmo hasta que me deslizo dentro y fuera tan lentamente que siento que mi polla va a explotar. Angelina deja escapar un pequeño maullido, sus músculos se contraen con espasmos alrededor de mi miembro, y finalmente me permito explotar.

Unas palabras susurradas en voz baja me despiertan de mi sueño y, por un momento, creo que Sergei está hablando por teléfono con alguien. Pero cuando abro los ojos, lo encuentro acostado boca arriba a mi lado, con los ojos cerrados. Debió haberse quedado dormido después de que tuvimos sexo hace un rato, olvidándose de llevarme de vuelta a la cama. La mano de Sergei sobre mi estómago se contrae, y una maldición rusa sale de sus labios. Está teniendo una pesadilla otra vez.

Sé que probablemente debería alejarme, como él me dijo que hiciera cuando esto sucediera, pero si solo obedezco ciegamente, nunca superaremos esto. Así que, en cambio, me acuesto sobre su pecho y envuelvo mis brazos alrededor de su cuello, colocando mi mejilla junto a la suya. Su cuerpo se queda quieto por un segundo, luego comienza a moverse de izquierda a derecha, tratando de quitarme de encima. Muevo mi cabeza a su hombro y lo aprieto más fuerte.

—Está bien, grandulón —le susurro al oído, luego le doy un beso en la mejilla—. Está bien.

Su respiración es rápida, agitada, pero deja de moverse y gira la cabeza hacia un lado, nuestras narices se tocan. Empujo la punta de la suya con la mía y deposito un beso en sus labios apretados.

Sus ojos aún están cerrados, su boca inmóvil, aun así, sigo besándolo.

—Quiero que me lleves a dar un paseo en tu motocicleta mañana. —Otro beso—. Tal vez podrías dejarme conducir un rato, *¿eh?* Apuesto a que es como montar una bicicleta. No puede ser tan difícil. —Su respiración se vuelve más lenta, no obstante, su mano en la parte baja de mi espalda todavía está temblando—. Aunque intenté andar en bicicleta solo una vez y terminé en un arbusto de ortigas al costado del camino —continúo—. Nana Guadalupe estaba tan enojada cuando llegué a casa cubierta de ampollas y con cortadas sangrando en todas mis piernas.

Lentamente, los ojos de Sergei se abren y parpadea.

—Haría cualquier cosa por ti, nena —murmura—. Pero, no vas a tocar mi motocicleta.

—Está bien. —Río a carcajadas, luego coloco mi mejilla en su pecho—. Volvamos a dormir.

Capítulo diecinueve

—Me gusta esta. —Sergei señala la chaqueta de cuero roja que cuelga del maniquí.

Tomo la etiqueta para mirar el precio y mis ojos se abren de par en par.

—Podemos comprar esta una vez que tenga acceso a mi cuenta de banco.

—Roman dijo que su chico necesitaría al menos dos semanas más para que hicieran tu nueva identificación. Una buena falsificación requiere tiempo. —Quita la chaqueta del maniquí y me la ofrece—. Pruébatela.

—Puede esperar. Has estado comprando todo para mí. No se siente bien cuando tengo mucho dinero en mi cuenta.

—Me gusta comprar cosas para ti. —Baja la cabeza y me da un beso en los labios—. Excepto por las cosas de baño. Hay tanta mierda diferente que me da ansiedad cada vez que entro en una de esas elegantes tiendas perfumadas.

—¿Es por eso que compraste toda la tienda la última vez? Tengo suficiente champú para dos años.

Sergei toma un mechón de mi cabello entre sus dedos, lo levanta hacia su nariz e inhala.

—Me gusta este. Compraremos más.

—No hasta que haya usado al menos la mitad de la reserva que ya tengo. —Me río.

—Bueno. —Deja caer mi cabello, luego envuelve un brazo alrededor de mi cintura y me jala contra su cuerpo—. Paguemos la chaqueta y volvamos a casa.

—¿Oh? ¿Tienes algo específico en mente?

—Sí. —Sus labios presionan los míos—. Le dije a Albert que estaremos ocupados toda la tarde y que no quiero verlo hasta mañana. Se llevó a Mimi con él.

—¿Y en qué estaremos ocupados?

Sus labios se ensanchan en una sonrisa de satisfacción, y se inclina para susurrar en mi oído:

—Quiero follarte en cada parte de mi casa, en cada mueble. De esa manera, cuando vuelva a desconectarme de la realidad, tendré al menos a la vista uno de esos puntos. Eso hará que sea mucho más fácil regresar, ¿no lo crees?

—Me gusta esa idea. —Muerdo su labio inferior—. Soy una gran partidaria de las técnicas de terapia alternativa.

—Caja registradora. Auto. Cocina. Vamos —gruñe.

—Necesito ir al baño después de la parada en la caja registradora, pero no tengo quejas sobre el resto del itinerario.

Tan pronto como terminamos de pagar mi chaqueta, Sergei me lleva a un baño del centro comercial que encontramos en uno de los pasillos y se sienta en el banco al frente para esperarme. Me estoy lavando las manos cuando se abre la puerta detrás de mí. Levanto la cabeza, miro al espejo y veo a la mujer pelirroja con la que me topé mientras paseaba a Mimi el otro día. Nuestras miradas se encuentran en el reflejo, y sus labios se ensanchan en una sonrisa.

—Angelina Sofia Sandoval —dice con una voz con acento, y un espantoso escalofrío me recorre la espalda—. Alguien quiere hablar contigo.

Da unos pasos hacia mí y coloca un teléfono en el mostrador al lado del lavabo. Miro el nombre que se muestra en la pantalla, tratando de controlar mi respiración errática, luego tomo el celular y lo presiono contra mi oído.

—Diego —respondo, tratando de que mi voz suene tranquila—. ¿Qué puedo hacer por ti?

—¿De verdad pensaste que podrías huir de mí, pequeña perra? —grita.

—Sí. Eso esperaba.

Se ríe como un loco.

—Voy a disfrutar rompiendo tu espíritu, *palomita*. Nadie se escapa de Diego Rivera.

—No voy a volver a México, Diego. Nunca. En lo que a todos concierne, soy una ciudadana estadounidense. Así que mientras esté aquí, no puedes hacerme nada.

—Podría matarte —revira—. O incluso mejor, podría matar a ese ruso con el que has estado follando. A las autoridades no les importará si uno de los hombres de la *Bratva* termina destripado en la calle. O si su coche explota. Probablemente me lo agradecerán.

Tomo aire y enderezo mi columna.

—No te atreverás a matarlo. Significaría el final de tu colaboración con los rusos, y ellos son tu mayor comprador.

—Eso es cierto. Preferiría mantener una buena relación con ellos, incluso si tu amante demente mató a mis hombres la última vez. Los rusos traen buen dinero a la mesa, lo que significa que vas a volver por ti misma —se mofa—. He tenido gente observándote durante semanas, y por lo que dicen, pareces muy cercana a ese ruso demente. Dime, *palomita,* ¿estás enamorada de Belov?

—Por supuesto que no —miento—. Solo lo estoy usando para obtener lo que necesito.

—Entonces, ¿no te importaría si uno de mis hombres que esperan al otro lado del pasillo le dispara a quemarropa?

Agarro el borde del mostrador frente a mí.

—No, por favor.

Una risa descabellada suena al otro lado de la línea.

—La pequeña perra fugitiva se ha enamorado. Qué conveniente —resopla—. Entonces, ¿qué será? ¿Vas a volver? ¿O mato a tu amante?

—No tocarás a Sergei. —Cierro los ojos, tratando de evitar que mis lágrimas caigan—. Regresaré.

—Perfecto. Ahora escúchame con atención. Le enviarás un mensaje de texto a Juana para indicarle la hora en que estarás sola en la casa mañana y podrás escabullirte sin que nadie se dé cuenta. Un auto te estará esperando.

—¿Mañana? —pregunto en *shock*.

—Sí. Tienes un día para averiguar cómo le explicarás la situación a tu ruso. Pero ten una cosa en mente. Si viene tras de ti, lo matarán en el instante en que ponga un pie en México. ¿Lo entiendes?

—Sí.

Se ríe de nuevo.

—Tengo tantas ganas de tenerte aquí, *palomita*. Me estoy aburriendo bastante con María últimamente, y estoy seguro de que tu coño está mucho más apretado que el de ella.

Lanzo el teléfono sobre el mostrador y miro mi reflejo.

Se acabó. Trago bilis, volteo hacia la perra pelirroja, que ha estado parada a mi lado todo el tiempo, y le digo mi número. Ella lo guarda, asiente y sale del baño con una sonrisa en su rostro. Unos segundos más tarde, mi teléfono suena con un mensaje entrante. Miro el texto breve, el número de Juana, y aprieto el aparato con todas mis fuerzas.

Una respiración profunda. Luego otra. Abro el agua y salpico un poco en mi cara. Ayuda un poco, sin embargo, todavía estoy cerca de desmoronarme. Salpico más agua, luego miro mi rostro pálido, preguntándome qué voy a hacer. ¿Debería huir? En ese caso seguro Diego mataría a Sergei. Podría decirle a Sergei la verdad. Es más que capaz de defenderse. Pero ¿y si esos cabrones ponen una bomba en su coche? ¿O en su casa? No puedes defenderte de una bomba.

No, debe haber otra manera. Mierda. Piensa, maldita sea. ¿La policía? Sí, claro.

¿Quizás podría volver a México y luego tratar de huir de nuevo? Podría funcionar, aunque me tomaría semanas o meses convencer a Rivera de que soy lo suficientemente dócil para que me quite la seguridad. No importa. Soportaré cualquier cosa si eso significa estar libre de ese hijo de puta. No obstante, también significaría no volver a ver a Sergei nunca más.

Envuelvo mis brazos alrededor de mí, aplastando la chaqueta de cuero roja que Sergei acaba de comprar para mí, y presiono mis labios para reprimir el grito que se ha estado acumulando dentro de mí desde que vi el nombre de Diego en ese teléfono. No. No me voy a desmoronar aquí. Respirando profundamente, hago que mis piernas se muevan.

Los veo en el momento en que salgo del baño. Dos

hombres con traje, parados al otro lado del pasillo, con los ojos fijos en Sergei. Diego no estaba mintiendo.

—¿Todo bien? —Sergei pregunta cuando me acerco a él—. Te ves pálida.

—Sí, todo bien. —Asiento y logro esbozar una sonrisa falsa—. Solo tengo dolor de cabeza.

Coloca su mano en la parte posterior de mi cuello y levanta mi cabeza.

—¿Quieres que vayamos a un médico?

—Por supuesto que no. Es solo un dolor de cabeza. Ya pasará. Y, de todos modos, tenemos planes, ¿no?

Se necesita un control inmenso para mantener la calma mientras se inclina y me besa. Saber que Sergei podría morir si se entera de lo que está pasando evita que me eche a llorar. Tomo su mano y dejo que me guíe fuera del centro comercial y hacia su motocicleta. Todo el tiempo, me estoy desmoronando por dentro.

El viaje de regreso a la casa de Sergei dura menos de treinta minutos. Planeaba usar ese tiempo para pensar en cómo escabullirme mañana, pero en vez de eso, pasé todo el viaje apretando su cintura, sumergiéndome en la sensación de tenerlo cerca y tratando de guardarlo en una de mis bóvedas mentales para preservarlo.

—¿Estás segura de que estás bien, nena? —Sergei pregunta cuándo nos bajamos de la motocicleta frente a su casa.

Cuelgo mi casco en el manubrio y me giro hacia él, notando la forma en que su cabello pálido refleja la luz del sol al atardecer, los mechones más largos flotando en la brisa. Estirando mi mano, trazo mi dedo a lo largo de la línea de su barbilla, y coloco mi otra mano en el centro de su pecho.

—Quiero que me hagas el amor con tanta fuerza —suspiro—, que me haga olvidar todo lo demás.

Sergei me agarra por debajo del trasero, me levanta y me lleva hacia la puerta principal. Envuelvo mis piernas alrededor de su cintura y tomo su rostro entre mis manos, depositando besos por todas partes. Comienzo con su nariz perfectamente imperfecta, luego me muevo a su frente y cejas, sellando cada detalle en mi memoria.

—Comenzaremos en la cocina y continuaremos desde allí —me susurra al oído mientras me sienta en la mesa del comedor—. Planeo cubrir toda la planta baja hoy.

—Eso es mucho espacio. —Sonrío y me quito la chaqueta—. ¿Estás seguro de que podrás hacerlo?

Mis *jeans* y mi camiseta son los siguientes, pero cuando me quito el sostén y tomo mis bragas, Sergei agarra mi mano y la aparta.

—Ya veremos. —Sonríe—. Acuéstate.

Me inclino hacia atrás, presionando mi espalda contra la superficie de la mesa, y observo cómo se inclina y coloca un beso entre mis senos. Lentamente, traza una línea de besos por mi pecho y estómago hasta llegar a mi ropa interior. Me mira con una sonrisa traviesa, toma la cinturilla entre sus dientes y la tira hacia abajo. Cuando me quita las bragas, toma mi pierna y me da un beso en el tobillo, sube por el interior de mi muslo y luego entierra su rostro entre mis piernas. Inhalo profundamente y agarro su cabello, jadeando mientras lame mi clítoris, una, dos veces, y luego lo chupa.

—Podría pasarme todo el día jugando con tu coño —murmura y me penetra con la lengua. Continúa lamiendo y chupando mi sexo, apretando mis nalgas en el proceso, moviéndose más y más rápido hasta que siento que voy a explotar. Luego, muerde suavemente mi clítoris y mi orgasmo me consume.

Todavía estoy jadeando cuando coloca su mano en mi nuca y me levanta para devorar mis labios. Me pruebo en él, un sabor agridulce. Su otra mano llega a mi espalda baja para mantener mi cuerpo en su lugar mientras posiciona su longitud en mi entrada.

Se aleja para mirarme a los ojos.

—Estoy tan enamorado de ti —susurra mientras se desliza dentro de mí, poco a poco.

Quiero decirle lo mismo, tanto que me está desgarrando por dentro. En cambio, solo presiono mis labios y me agarro a sus hombros, sin apartar los ojos de él. Gimo cuando se entierra más profundo en mí, y presiono mi cara contra el hueco de su cuello. Su cálido aliento abanica la piel de mi hombro, y disfruto la sensación de que se hunde en mí una y otra vez. Es casi suficiente para hacerme olvidar el mañana. Nos juntamos en una mezcla de jadeos y gemidos.

—¿Sofá, dormitorio o ducha? —Sergei pregunta cuando recupera la respiración.

—Ducha —musito y envuelvo mis piernas con fuerza alrededor de su cintura. No hay forma de que lo deje fuera de mi alcance por un segundo más de lo necesario.

—De acuerdo. —Se ríe y me carga escaleras arriba hasta su baño.

—Tomaré prestado tu gel de ducha hoy —señalo mientras me deja bajo el torrente de agua.

—Pensé que te gustaban los aromas dulces.

Solo me encojo de hombros, tomo una botella azul oscuro del estante, aprieto un poco en mi mano y empiezo a enjabonar mi cuerpo.

Sergei entra en regadera y, colocando su dedo debajo de mi barbilla, levanta mi cabeza.

—¿Qué ocurre?

El agua de la ducha salpica a mi lado mientras miro sus ojos claros.

—Nada. ¿Por qué?

Dios, incluso mirarlo duele porque sé que me iré mañana.

—No sabes mentir, aunque tu vida dependa de ello, Angelina. —Da un paso adelante y se inclina para que estemos cara a cara—. ¿Qué está pasando?

—No tengo idea de lo que estás hablando.

Sergei coloca sus manos en las baldosas a ambos lados de mi cabeza y me mira con los labios apretados en una línea fina.

Tomo una respiración profunda.

—¿Vamos a terminar esta ducha, o planeas seguir cerniéndote sobre mí como una gárgola?

—No puedes mentirme. ¡Nunca! —exige—. Si no quieres hablar de algo, está bien. Si necesitas espacio, también está bien. Sé que estar conmigo puede ser abrumador. Pero no me mentirás. ¿Trato?

Miro hacia abajo y asiento.

—No quiero hablar de ello.

—Está bien. ¿Necesitas espacio?

—No. —Niego con la cabeza.

—Si quieres, dormiré en la otra habitación esta noche.

Me paralizo. No. Esta es nuestra última noche juntos, y maldición, no lo dejaré dormir en cualquier lugar que no sea en mis brazos. Coloco mi mano en su pecho, la deslizo lentamente hacia abajo hasta que llego a su pene y la envuelvo alrededor del mismo.

—Definitivamente no vas a dormir en la otra habitación —indico y aprieto su ya dura longitud.

Sergei toma aire mientras envuelve su brazo alrededor de mi cintura y me presiona contra su cuerpo.

—Esta discusión no ha terminado, Angelina.

—Podemos continuar mañana. —Presiono un beso en medio de su pecho—. Me prometiste un recorrido sexual por tu casa. Espero que lo cumplas. ¿O es demasiado para ti? —Miro hacia arriba, levantando una ceja.

Un gruñido sale de sus labios antes de que se incline y me arroje sobre su hombro.

—El mostrador de la cocina es nuestra próxima parada —replica y golpea mi trasero desnudo con la palma de su mano.

—¿Tienes planes para mañana? —pregunto mientras deslizo mis manos por la espalda de Sergei.

Está acostado boca abajo en la cama y yo estoy sentada en la parte baja de su espalda. Me tomó quince minutos, pero logré convencerlo de que me dejara masajearlo con uno de mis aceites con aroma a rosas.

—Tengo una reunión alrededor del mediodía —murmura en la almohada—. Podemos ir a dar un paseo después.

—Sí —me atraganto, luego me inclino hacia adelante y presiono un beso entre sus omóplatos—. Un paseo suena genial, cariño.

Con cada minuto que pasa, me resulta más difícil fingir. Es como mirar un reloj de arena al que solo le queda un poco de arena en el bulbo superior y los granos caen cada vez más rápido. Muevo mis manos a los hombros de Sergei, luego las deslizo por sus brazos, los mismos brazos que me sacaron del camión y me salvaron la vida. Después de que termino con sus brazos vuelvo a su espalda, mis toques se vuelven más ligeros, es más una caricia que un masaje, hasta que siento que su cuerpo se relaja y su respiración se hace más profunda. Sergei tiene el sueño ligero, así que sigo adelante durante cinco minutos más antes de bajar con cuidado de la cama. Tomo mi teléfono de la mesita de noche, le envío el mensaje a la perra pelirroja diciendo que estaré lista para irme mañana al mediodía y me dirijo al baño.

Una vez hecho esto, cierro la puerta, me quito la ropa, abro el agua hasta que está muy caliente y me meto en la ducha. En el momento en que el rocío me golpea, apoyo mi espalda en los azulejos. Todo mi cuerpo se siente pesado con la carga de lo que debo hacer. Mi cabeza cae hacia adelante primero, luego mis piernas fallan y me hundo en el suelo. Envuelvo mis brazos con fuerza alrededor de mis rodillas y las acerco a mi pecho. No me queda nada a que aferrarme, así que esto tiene que funcionar. Tal vez, si aprieto lo suficiente, podré mantener unidos mis pedazos destrozados.

Con la puerta cerrada y el agua ahogando todos los demás sonidos, finalmente me dejo derrumbar. Mis lágrimas, mezcladas con el chorro de la ducha, se esfuman por el desagüe.

¿Qué voy a hacer mañana? No puedo simplemente desaparecer. No, tendré que dejar una nota con una explicación. Serán un montón de mentiras, algo que convencerá a Sergei de que decidí irme por mi propia voluntad y no quiero volver a verlo nunca más. tendré que hacerle daño. Y tendrá que ser realmente malo si quiero que me crea. No puedo arriesgarme a que Sergei me persiga porque Diego hará que lo maten. De eso, estoy cien por ciento segura. Tal vez, algún día, cuando logre escapar de Diego, pueda volver y buscarlo. Sergei probablemente me odiará para entonces.

Me siento en el suelo de la regadera hasta que el agua se enfría, luego me pongo ese estúpido conjunto de pijamas que me compró Sergei y me escabullo debajo de la colcha junto a él. Ya es bien pasada la medianoche, pero no me atrevo a cerrar los ojos y arriesgarme a perder mis últimos momentos con él, por dormir. Me acuesto allí y lo observo hasta que la luz del sol de la mañana se filtra en la habitación.

Sergei

—No tardaré —informo mientras me abrocho la camisa—. Dos horas como máximo. Podemos comer algo cuando regrese y luego ir a dar un paseo.

Los brazos de Angelina envuelven mi cintura.

—Suena bien.

Me doy la vuelta y, tomando su rostro entre mis manos, le doy un beso en los labios.

—Te compré esa basura de comida chatarra que te gusta. Está en el armario junto a la nevera.

—¿Las papas fritas con sabor a *ketchup*?

—Sí. No sé cómo puedes comer esa mierda. —Tomo mi teléfono de la mesita de noche y me dirijo a la puerta—. Albert volverá pronto con Mimi. Por favor, recuérdale que la alimente.

—De acuerdo, cariño —asiente y me observa. Hay una mirada extraña en sus ojos, aunque se ha ido en un abrir y cerrar de ojos.

Estoy a medio camino de mi auto cuando escucho a

Angelina decir mi nombre. Me doy la vuelta para encontrarla de pie en el porche. Me mira por un momento, luego baja corriendo los escalones y cruza el camino de entrada. En lugar de detenerse cuando me alcanza, salta a mis brazos, envuelve sus piernas alrededor de mi cintura y choca su boca contra la mía.

—Te extrañaré, Sergei —susurra contra mis labios.

—¿Nena? —murmuro en su boca—. Vuelvo en dos horas.

—Lo sé. —Inclina la cabeza hacia atrás y pasa la punta de su dedo por mi nariz—. Cuídate, grandulón.

—Me reuniré con alguien que nos suministra autos. —Me río—. Tiene casi ochenta años. Creo que puedo enfrentarlo si se vuelve hostil por alguna razón.

Angelina sonríe, me besa de nuevo y mueve su trasero, así que la bajo, apretando su trasero en el proceso.

—Voy a buscar esas papitas fritas ahora —dice y vuelve corriendo a la casa.

Mientras la veo subir los escalones, una extraña sensación de aprensión se asienta en la boca de mi estómago. No me deja incluso después de llegar al punto de encuentro. De hecho, solo se vuelve más fuerte. Veinte minutos después de la reunión, decido interrumpirla y regresar a casa.

Media hora después, estoy estacionando el auto en el camino de entrada cuando Felix sale de la casa y me mira con una cara sombría, y sus manos en la cintura. Me dirijo hacia donde está parado en el porche mientras una sensación de inquietud se extiende a través de mí.

—¿Qué ocurre? —inquiero, subiendo los escalones.

—Angelina se fue.

—¿Sola? —Me detengo en la escalera superior—. ¿A

dónde fue? Le dije que volvería en dos horas. Si necesitaba algo, podría haber esperado.

A Angelina le gusta ir al pequeño supermercado que está al final de la calle, pero prefiero que no ande sola.

—Te dejó una nota en la cama. La vi cuando fui a buscarlos a ustedes dos —comenta Felix y mira hacia otro lado—. Ella no va a volver, Sergei.

Miro a Felix, procesando lo que acaba de decir, y luego me apresuro a entrar en la casa. Subo tres escalones a la vez y corro a mi habitación. Allí, sobre una cama cuidadosamente hecha, yace un solitario trozo de papel. Por unos momentos, solo lo miro mientras el pánico se despliega dentro de mí. Respiro hondo, me acerco a la cama y leo la nota pulcramente escrita a mano.

Sergei,

Durante bastante tiempo, he estado pensando en mi vida y todo lo que ha sucedido. He decidido que necesito un nuevo comienzo. Me puse en contacto con uno de los amigos de mi padre a principios de esta semana y él hizo arreglos para que yo obtuviera una identificación para poder acceder a mi dinero y salir de los Estados Unidos. Si bien realmente disfruté pasar tiempo contigo, me doy cuenta de que, si quiero poner orden en mi vida, necesito cortar las conexiones con todo lo que me ata a mi pasado.

Tuvimos algunos buenos momentos juntos, pero a veces me asustas muchísimo, y creo que es hora de que nos separemos. Pensé que podría lidiar con tus problemas, sin embargo, la verdad es que es demasiado y es mejor que me vaya. Reservé un vuelo de ida a Europa y no planeo volver.

Cuídate y gracias por todo.

Angelina.

Miro el papel en mi mano, luego lo arrugo y lo tiro al otro lado de la habitación. La rabia, más fuerte que cualquiera que haya sentido, me consume. La voz de Felix me llega desde atrás, aunque se vuelve más débil con cada segundo que pasa hasta que todo lo que puedo escuchar es el zumbido en mis oídos, y luego nada.

Están retrasados. Me doy la vuelta y miro a un lado y otro de la calle, preguntándome si, por algún golpe de suerte, Diego cambió de opinión. Aunque hace bastante calor, me quedo con la chaqueta de cuero roja. Aparte de algunos artículos de tocador y un cambio de ropa, es lo único que me llevé cuando me escapé de la casa de Sergei. Planeaba dejar la chaqueta también, es increíblemente cara, sin embargo, no pude obligarme a hacerlo.

También hay uno de sus pequeños cuchillos escondido en el fondo de mi mochila. De ninguna manera voy a ir con Diego desarmada. Un arma habría sido una opción mucho mejor, pero era más difícil de ocultar.

Envuelvo mis brazos alrededor de mi cintura y me debato si debo llamar a Juana, la perra pelirroja, para preguntarle qué está pasando, cuando noto que se acerca un auto negro. Me invade una sensación de caída al vacío. Parece que no tengo tanta suerte después de todo. El coche se detiene frente a mí y un hombre de pequeña estatura sentado en el asiento del conductor baja la ventana. Tiene cuarenta y tantos años y es estadounidense. El vehículo en sí tiene unos diez años y está bien usado. Nada, ni remotamente, es sospechoso al respecto.

Aparentemente, Diego no quiere arriesgarse a que las autoridades fronterizas miren demasiado de cerca a los pasajeros.

—¿Tienes mis documentos? —pregunto.

—Sí.

Respiro hondo, tiro entre los arbustos el teléfono que Sergei me compró y camino alrededor del auto para llegar a la puerta del lado del pasajero.

—Entonces, vámonos.

Sergei

—¿Sergei? —La voz de Roman me llega desde algún lugar a mi derecha.

Abro los ojos y, durante un par de segundos, no puedo entender dónde estoy hasta que noto detalles familiares. Las estanterías de la izquierda todavía están en su lugar, probablemente porque están ancladas a la pared. Son las únicas cosas, además de la cama donde estoy sentado, que aún están intactas. Los dos sillones reclinables yacen volcados cerca de la pared opuesta a donde deberían estar, faltan algunas de sus partes. La cómoda, con la ropa desparramada, está torcida encima de una de las sillas. Pedazos de madera, tela y libros están esparcidos por toda la habitación, haciendo que parezca que un terremoto o un tornado la ha golpeado.

—¿Sergei? ¿Estás con nosotros?

Miro hacia arriba.

Roman está parado en la puerta con Felix al acecho detrás de él. Mimi, con la cabeza sobre sus patas y los ojos mirándome, está tendida en el suelo frente a ellos.

—¿Cuánto tiempo? —inquiero.

—Cuatro horas. —Roman da unos pasos, pero se detiene cuando llega al centro de la habitación—. Felix me llamó en el momento en que empezaste a destruir todo, sin embargo, cuando llegué, ya habías terminado con este piso.

—Mierda. —Niego con la cabeza—. ¿Cómo se ve el piso de abajo?

Roman examina la habitación a su alrededor y se encoge de hombros.

—Prácticamente igual. Menos mal que Felix pensó en cerrar la armería antes de que llegaras.

Gracias a Dios por eso. No recuerdo nada después de leer la nota de Angelina. Cerrando los ojos, respiro hondo. Necesito salir de aquí.

—Albert, ¿dónde están las llaves de mi motocicleta? —pregunto mientras me levanto de la cama.

—Tú te quedas aquí —ordena Roman y me apunta con su bastón—. Siéntate de nuevo.

—Roman, no lo hagas —murmura Felix detrás de él.

—No lo dejaré ir a ninguna parte en este estado. Chocará o matará a alguien.

Inclino la cabeza y miro a mi hermano. Estamos bastante igualados en lo que respecta a la fuerza, y nada me encantaría más que liberar parte de la frustración y la ira que hierve dentro de mí con una buena pelea. No obstante, Roman no puede contra mí, al menos ya no, su rodilla está demasiado jodida. Y si me pierdo durante la pelea, puedo llegar a matar. No quiero aniquilar a mi hermano, no importa lo molesto que esté.

—Retrocede, Roman. —Me dirijo a la puerta, pero cuando paso junto a él, su mano sale disparada y se envuelve alrededor de mi cuello.

—Ella no vale la pena, Sergei.

Agarro su camisa y me inclino hacia adelante, mirándolo fijamente.

—¡No te atrevas a decir una palabra sobre ella! —bramo. No dejaré que nadie hable mal de Angelina. Aunque me mata admitirlo, tomó la decisión correcta para salvarse. Nadie debería cargar con alguien tan jodido como yo—. Ni una palabra. ¿Me oyes, Roman?

Nos miramos el uno al otro por unos momentos, luego Roman niega con la cabeza y quita la mano de mi cuello.

—Por favor, no dejes que te maten.

Suelto su camisa y camino hacia la puerta, pero luego me detengo.

—Le prometiste a Angelina que preguntarías por su nana. ¿Tienes alguna información?

—Aún no. Mi contacto en México llamó esta mañana y dijo que podrá revisar el recinto de Sandoval este fin de semana. Parecía que Diego estaba organizando una fiesta.

—Bien. Avísame en el momento en que llame.

—¿Por qué?

—Planeo sacar a la nana de Angelina de allí si está viva.

—¡Maldita sea, Sergei! ¡No irás a México!

Ignoro sus gritos y salgo de la habitación.

—Quizás quieras llamar a Mendoza y ver si puede duplicar la cantidad el próximo mes —digo por encima de mi hombro—. O busca otro proveedor porque mataré a Diego mientras esté allí.

Capítulo veinte

El gran portón de hierro se balancea lentamente hacia un lado, sus bisagras rechinan en el proceso. Cada vez que llegaba a casa, le decía a papá que había que reemplazar la maldita cosa. Siempre decía que lo iba a hacer, asegurándome que cuando volviera la próxima vez, una nueva puerta me estaría esperando. Ahora, solo me recuerda a mi padre y cómo Diego lo masacró.

Aprieto mis manos en puños y observo los alrededores mientras el auto se dirige hacia la enorme mansión de un piso al final de la carretera. Cada segundo que pasa, el temor se acumula en mi estómago. Pensé que nunca volvería a ver este lugar, o al menos esperaba que no lo hiciera. Es extraño. Nunca pensé que podría amar y odiar un lugar como lo hago con la casa de mi infancia.

El conductor estaciona el coche junto a los amplios escalones de piedra que conducen a la ornamentada puerta principal. Dos hombres, con rifles atados a la espalda, montan guardia a ambos lados. Nada ha cambiado. Tomando mi mochila, salgo del auto y subo los escalones, haciendo mi mejor esfuerzo para mantener mi rostro inexpresivo.

No planeo demostrar lo completamente aterrorizada que estoy. La gente dice que el miedo a lo desconocido es el más fuerte. Bueno, ellos no saben una mierda, porque sé exactamente lo que me espera aquí, y daría cualquier cosa por ignorarlo. Justo antes de llegar al umbral, la puerta se abre. Nana Guadalupe sale corriendo y me toma en sus brazos.

—*Mi niña* —resopla—. ¿Por qué diablos volviste aquí? Cuando Diego me lo dijo, no le creí.

—Es una larga historia, nana —susurro en su cabello y aprieto su frágil cuerpo contra el mío. Verla sana y salva hace que todo sea un poco más fácil—. Tenía tanto miedo de que Diego te lastimara.

Se inclina hacia atrás y toma mi rostro entre sus palmas.

—¿En qué estabas pensando, Angelina? —Sacude la cabeza—. Deberías haberte quedado en los Estados Unidos.

Abro la boca para responder, pero un estallido de risa masculina que proviene del otro lado del salón me hace vacilar.

—Bueno, ¿si no es nuestra pequeña fugitiva? —Diego vocifera, y mi corazón se acelera. Miro hacia arriba para verlo tambaleándose hacia nosotros. Es aún más repugnante de lo que recordaba: cabello grasoso y una camiseta estirada sobre su enorme barriga.

—Diego. —Asiento y camino alrededor de mi nana para pararme frente a ella, escondiéndola con mi cuerpo. Todavía tengo miedo de que pueda lastimarla.

—Espero que hayas disfrutado de tu pequeño viaje, porque no volverás a salir del recinto nunca más. —Viene a pararse frente a mí, sus labios se estiran en una sonrisa malvada—. Bienvenida a casa, *palomita*. —Me golpea tan fuerte con la parte trasera de su mano que caigo al suelo.

Hay algo húmedo a un lado de mi cara. Por un momento, creo que debe ser Mimi lamiendo mi mejilla. Abro los ojos y giro la cabeza solo para hacer una mueca cuando el dolor se dispara a través del lado izquierdo.

—Bebe esto. —Nana Guadalupe empuja una pastilla en mi boca y presiona un vaso en mis labios. Trago el analgésico y sorbo un poco de agua, tratando de mover la mandíbula lo menos posible.

—¿Qué pasó? —inquiero.

—El bastardo te golpeó. Quedaste inconsciente. Hice que uno de los muchachos te trajera aquí.

Me siento en la cama y miro alrededor de mi antigua habitación. En cierto modo, se siente como si nunca me hubiera ido.

—¿Sabes lo que Diego está planeando para mí?

—Va a dar una fiesta mañana por la noche —indica—. Va a anunciar que ustedes dos se van a casar.

—¿Cuándo?

—El miércoles. —Toma mi mano y aprieta mis dedos—. ¿Por qué, Angelinita? ¿Por qué volviste cuando sabías lo que iba a pasar?

La miro, sintiendo las lágrimas acumularse en las esquinas de mis ojos. Entonces, le cuento todo. Cuando termino, estoy llorando tanto que apenas puedo ver su rostro a través de todas las lágrimas.

—¿Estás enamorada de tu ruso?

—Sí —susurro y me tapo la boca con la mano. Es difícil hablar de Sergei.

—Dame su número, trataré de llamarlo. Debe venir a sacarte de aquí.

—No. Diego simplemente lo matará.

—Angelina...

—No, nana. Lo hecho, hecho está. No me arriesgaré a que muera por mi culpa.

La puerta de mi habitación se abre y entra María, con una pequeña sonrisa en los labios.

—Diego te está esperando en su habitación —dice y su sonrisa se amplía—. No dejes que se inquiete.

Se gira y cierra la puerta detrás de ella mientras el pánico y el terror se apoderan de mis entrañas.

—¿Dónde está mi mochila? —murmuro.

Nana la toma de la mesa y me la pasa con una mirada de horror escrita en toda su cara. Sabe muy bien lo que sigue. Tomo la mochila y meto la mano dentro, hurgando en su contenido hasta que mis dedos se envuelven alrededor de la elegante navaja del cuchillo de Sergei. Lo saco.

—No puedes matar a Diego con eso.

—Lo sé —replico, me levanto de la cama y me dirijo al baño.

Coloco el cuchillo en el mostrador al lado del lavabo, me quito los *jeans* y las bragas, luego empiezo a subirme la manga izquierda.

—¿Qué estás haciendo? —pregunta nana Guadalupe desde la puerta.

—Oí a Diego decir que no quiere coger con putas cuando tienen su periodo —respondo y tomo el cuchillo—. Dijo que lo encuentra repugnante.

Coloco la punta de la navaja en la parte superior de mi brazo izquierdo. Apretando los dientes, la presiono ligeramente hasta que perfora la piel. Escucho a Nana jadear cuando la sangre comienza a filtrarse por el pequeño corte. Alcanzando las bragas en el mostrador, presiono la tela beige sobre la herida, asegurándome de untar la sangre para que se vea lo más genuina posible. Cuando hay suficiente sangre en mis bragas, me las vuelvo a poner y tomo una toalla del estante, presionándola con fuerza contra la incisión.

—Encuéntrame algo para envolver alrededor de mi brazo —pido y empiezo a abrir los armarios, con la esperanza de encontrar un botiquín de primeros auxilios. El corte no es tan grande, debería dejar de sangrar lo suficientemente rápido, aunque sería más seguro si le pongo algo encima para mantener la piel unida. No hay un botiquín, pero todavía me queda un poco de suerte, porque encuentro una caja con banditas.

Nana Guadalupe vuelve corriendo al baño. Sostiene una funda de almohada y arranca una cinta ancha de ella. Cuando termina, coloca dos banditas sobre la herida y envuelve la tira de algodón alrededor de mi brazo.

—Pon otra encima —ordeno. Las mangas de mi camisa son anchas, por lo que el vendaje improvisado no debería verse debajo. No puedo arriesgarme a que la sangre se filtre. Diego podría notarlo.

Después de que envuelve otra tira de tela alrededor de mi brazo, bajo la manga, me pongo los *jeans* y me dirijo hacia la puerta.

—¿Crees que esto lo detendrá? —pregunta nana desde la puerta del baño.

—No impedirá que me viole eventualmente —agrego—, pero espero que me dé unos días al menos.

El imbécil tomó el dormitorio de mi padre.

Miro fijamente la gran puerta blanca al final del pasillo durante mucho tiempo antes de respirar hondo y girar la perilla para entrar.

Diego está tirado en la cama, completamente desnudo, sosteniendo su pequeño pene en su mano carnosa, acariciándolo. Cuando me ve, me hace señas para que me acerque. Me dirijo hacia la cama, tragando bilis. Tan solo mirarlo me enferma.

—Tenía muchas ganas de esto, *palomita.* —Sonríe—. Quítate la ropa y ven aquí. Me he estado preparando para ti.

Me detengo al borde de la cama y empiezo a desabotonar mis *jeans,* rezando a todos los santos tener razón, y que él no querrá tener nada que ver conmigo cuando vea la sangre. Es gracioso cómo un hombre tan sucio y repulsivo puede encontrar a una mujer sucia si tiene su período. Termino de desabrochar mis *jeans* y los deslizo hacia abajo, mirando su rostro mientras contengo la respiración.

—¡Perra asquerosa! —grita, sus ojos pegados a mis bragas y luego salta, agarrándome por el antebrazo—. ¿Lo hiciste a propósito? ¿Planeaste tu período?

Miro hacia abajo, fingiendo sorpresa.

—No me di cuenta. Probablemente acaba de empezar.

Me mira a los ojos, me suelta el brazo y me da una bofetada en la cara.

—Súbete los pantalones.

Me levanto los *jeans* y me giro para irme, pero su mano sale disparada, agarrando mi muñeca.

—¿A dónde crees que vas? Tu boca no está sucia. —Sonríe y se sienta en el borde de la cama, abre las piernas y tira de mi brazo—. ¡Arrodíllate!

Miro hacia abajo a su penoso miembro y luego hacia arriba hasta que nuestras miradas se encuentran. Probablemente me matará si me niego. Mi muerte romperá el corazón de mi nana, sin embargo, no me arrodillaré y le chuparé la polla al hombre que mató a mi padre. Incluso si eso significa la muerte.

Bajo la cabeza hasta que nuestros ojos están apenas a pulgadas de distancia, sonrío y luego escupo en su rostro.

—¡Chúpate tu propia verga, Diego!

Ruge, me arroja sobre la cama y se sube sobre mí, envolviendo sus manos alrededor de mi cuello y apretando. Jadeo y lo araño, tratando de quitar sus dedos mientras mis pulmones exigen aire. Estoy perdiendo. Mi visión comienza a oscurecerse y se forman manchas oscuras frente a mis ojos, pero sigo luchando, tratando de quitármelo de encima. Debería haber traído el cuchillo de Sergei conmigo. Estoy medio inconsciente cuando las manos se levantan de mi cuello y trago aire, tosiendo. Me cae otra bofetada en la cara, luego una más.

—No puedo esperar al miércoles —se burla Diego por encima de mí—. Sucia o no, te voy a coger delante de todos, *palomita*. ¡Nadie le dice que *no* a Rivera!

Me golpea de nuevo, luego me empuja fuera de la cama. Apenas logro levantar mis manos frente a mí para amortiguar la caída.

—Te quiero arreglada para la fiesta de mañana. Asegúrate de cubrir bien los moretones. No quiero que la gente piense que no te estoy tratando como te mereces. —Ríe a carcajadas.

Tomo aire, me levanto lentamente del suelo y me vuelvo

hacia el bastardo mientras él se recuesta en la cama con una gran sonrisa en su rostro.

—¡Vete a la mierda! —reviro con voz áspera, me paso el dorso de la mano por la boca para limpiarme la sangre y me dirijo a la puerta.

La risa demente de Diego me sigue.

Me llegan voces distantes, pero al principio no registro las palabras. Todo suena como un murmullo ahogado. Gradualmente, se vuelven más fuertes y coherentes. Cuando mi visión se aclara, Felix está de pie al otro lado de la sala de estar, con Roman y el médico a cada lado de él.

—¿Sergei? —Felix da un paso hacia mí.

—¿Qué?

—Está de vuelta —suspira y se vuelve hacia los otros dos hombres—. Deberían irse. Los llamaré.

Espero a que Roman y el doctor se vayan, luego me levanto del suelo, haciendo una mueca por la sensación de pinchazos en mis piernas.

—¿Qué pasó?

Lo último que recuerdo es llegar a casa después de pasar dos días dando vueltas por la ciudad, deteniéndome solo para cargar gasolina, o cuando necesitaba comer y ya no podía ignorar las demandas de mi cuerpo. Y luego nada.

—Te encontré aquí cuando vine al mediodía. Llevas horas mirando la pared.

—¿Qué hora es?

—Las siete de la tarde.

Bueno, eso explica por qué mis piernas se sienten como si estuvieran hechas de plomo.

—¿Qué estaba haciendo Roman aquí?

—Vino a hablar contigo. Trajo a Doc con él en caso de que no salieras de eso.

—¿De qué quería hablar?

—Su contacto de México llamó —informa y me sigue a la cocina mientras camino hacia el refrigerador para sacar una botella de agua—. Encontró a Guadalupe Perez. Todavía está en el complejo.

—Bien. Que vea si puede conseguirle una identificación que funcione para el cruce fronterizo de rutina. No debería tomar mucho tiempo. Iré a buscarla tan pronto como lo tengas.

—De acuerdo —asiente, pero sigue mirándome de una manera extraña.

Conozco a Felix desde hace quince años y reconozco la mayoría de sus expresiones.

—¿Qué pasa?

—¿Angelina actuó extraña antes de irse?

Agarro el borde del mostrador y miro los azulejos blancos frente a mí, apretando los dientes. Es difícil pensar en ella.

—Tal vez un poco. —Cada que vez que lo he analizado, pienso que probablemente era porque ella ya estaba planeando irse.

—¿Alguien se acercó a ella?

Me giro para verlo.

—No. ¿Por qué?

—Porque ella no está en Europa. Está en México, Sergei. Con Diego Rivera.

—¡¿Qué?! —Golpeo el vaso que sostengo contra el

mostrador, y se rompe en pedazos, trozos de vidrio vuelan por todas partes.

El contacto de Roman dijo que la vio hoy, en el almuerzo que organizó Diego. Rivera anunció que se casarán el miércoles.

Cierro los ojos y respiro profundamente, tratando de repasar la semana pasada en mi mente. Angelina estaba actuando de manera extraña la mañana en que desapareció, por lo que algo debe haber sucedido antes. El centro comercial. Pasó demasiado tiempo en ese baño.

—Necesito que accedas a las cámaras internas del centro comercial donde fuimos el día antes de que ella se fuera —ordeno.

—Seguro. Buscaré mi *laptop*.

Miro la foto en blanco y negro de una mujer que Felix sacó de los registros policiales. Luego, muevo mis ojos a la derecha, donde la imagen fija de la transmisión de la cámara muestra a la misma mujer saliendo del baño del centro comercial solo unos minutos antes de que saliera Angelina.

—Juana Ortiz —dice Felix—. No hay pruebas, pero la nota en el informe dice que es sospechosa de trabajar para Diego Rivera.

—Probablemente amenazaron a Angelina con matar a su nana. ¿Por qué no dijo nada, maldita sea?

—No creo que hayan amenazado a su nana, Sergei. Mira. —Señala otro ángulo de la grabación. Otro extremo del mismo pasillo. Juana camina hacia dos hombres que están parados junto a una máquina expendedora, asiente con la cabeza y se van—. Revisé las otras cámaras también —continúa Felix mientras muestra el video de Juana saliendo del baño nuevamente—. Estaban parados a unos cincuenta pies justo detrás de ti. El más alto ocultaba un arma debajo de su chaqueta. Se puede ver desde otra cámara. Presta atención a dónde mira Angelina justo después de salir.

Reproduce el video y hace un acercamiento a la puerta del baño. La cámara probablemente estaba montada cerca, porque cuando Angelina sale, puedo ver claramente la expresión aterrorizada en su rostro mientras mira hacia arriba y por encima de mi hombro, directamente en la dirección donde estaban parados los hombres. Sus ojos vagan hacia mí, luego de vuelta a los matones por un momento antes de volverse hacia mí.

—Creo que amenazaron con matarte —señala Felix.

Observo la grabación en pausa, mis ojos están pegados al rostro asustado de Angelina y sonrío.

—Voy a matarlos a todos.

Pongo la última de las armas en el compartimiento oculto en el piso de mi auto, cierro la cajuela y le silbo a Mimi, quien baja corriendo los escalones y salta al asiento trasero. Me pongo al volante y cierro la puerta. Estoy alcanzando el encendido cuando la puerta del pasajero se abre y Felix entra.

—¿A dónde crees que vas? —pregunto.

—A México. —Arroja su mochila en el asiento trasero al lado de Mimi y agarra el cinturón de seguridad.

—No vas a ir. —Me inclino sobre él y abro su puerta—. Fuera.

—No.

—Esto no es una maldita excursión geriátrica. Me voy a infiltrar en un recinto del cártel que está custodiado por al menos treinta hombres armados.

—Exactamente —espeta—. Necesitas refuerzos. Y un conductor en caso de que te disparen y no puedas conducir de regreso.

—Estás demasiado viejo para esta mierda. No dejaré que arriesgues tu vida por mí, Albert. Bájate.

—¿Podrías parar con tu mierda de *soy invencible*? ¿Tienes deseos de morir? ¿Es eso? ¡Porque ambos sabemos que si entras sin apoyo en vigilancia, las posibilidades de que salgas con vida son cero!

—He completado misiones con más enemigos muchas veces.

—Sí, pero para entonces solo tenías que preocuparte por ti mismo. ¿Cómo planeas dejar ese lugar con dos mujeres a cuestas? Te retrasarán. Sin mencionar el pequeño ejército que te estará persiguiendo.

—Yo me encargaré.

—¡Morirás! —grita en mi cara, luego cambia su mirada al parabrisas—. Voy a ir.

Mimi ladra desde el asiento trasero.

—¿Ves? Eso es dos contra uno.

Lo observo mientras se acomoda el cuello de la camisa, se sube las gafas por la nariz con el dedo y se recuesta en su asiento.

—Maldita sea —murmuro y enciendo el auto.

Felix permanece en silencio durante los primeros cinco minutos más o menos, luego comienza a quejarse de Marlene.

Lo ignoro. No estoy de humor para ofrecer consejos sobre relaciones en este momento.

—¿Qué pasó en Colombia, Sergei? —pregunta de repente.

Enciendo un cigarrillo y lo miro de reojo.

—¿Otra vez con eso?

—Sí. —Se vuelve hacia la ventana y mira hacia afuera—. Por favor.

Suspiro.

—Ese político que Kruger me mandó a matar. Estaba involucrado en la trata de personas.

—Lo sé. Eso estaba en el archivo de la misión.

—Lo maté mientras desayunaba en su jardín. Todo el mundo sabía que tenía chicas en venta y las tenía en algún lugar del recinto. Planeé infiltrarme, para buscarlas. Kruger dijo que no. Me aseguró que la policía las encontraría y las liberarían cuando fueran a investigar. —Me recuesto en mi asiento y doy una calada al cigarrillo—. Llegó la policía. Luego se fueron. No sacaron a nadie, simplemente sellaron el lugar y se fueron.

—Entonces, ¿no encontraron a las chicas?

—*Oh sí*, las encontraron —agrego.

—No entiendo.

—Entré después de que la policía se había ido. Me tomó un tiempo encontrar la puerta del sótano. —Cierro los ojos por un segundo, tratando de suprimir las imágenes de cuerpos dispersos alrededor—. Ya estaban muertas. Cada una de ellas con un disparo en la cabeza. La policía colombiana obviamente estaba involucrada en la trata. Se deshicieron de las chicas cuando las encontraron, para que no pudieran hablar.

—Dios.

—No estaba seguro, porque todas estaban sucias y en los huesos, pero no creo que ninguna de ellas tuviera más de dieciséis años. —Me giro para mirar a Felix—. Diez niñas murieron por mi culpa. Si hubiera entrado antes que la policía, hoy estarían vivas.

—No es tu culpa —dice—. Estabas siguiendo órdenes estrictas.

—Lo hice. —Asiento y enciendo otro cigarrillo—. Como se supone que debe ser la pequeña máquina asesina de Kruger.

Felix mira hacia otro lado. El resto del viaje transcurre en completo silencio.

Conseguimos cruzar la frontera sin ningún problema. Cuando salimos de la carretera a un camino lateral que conduce al recinto de Sandoval, reviso el mapa. He marcado todos los lugares donde los hombres de Sandoval solían hacer guardia. Dudo que Diego se haya molestado en cambiar las locaciones. Tomo otro camino lateral que debería llevarnos casi al recinto con solo un puesto de control en el camino. Cuando nos acercamos a la ubicación de los guardias, estaciono el auto detrás de un follaje y salgo para cambiarme y armarme.

—¿Qué diablos es eso? —Felix murmura detrás de mí mientras saco las armas.

—Una ballesta. —Abro la caja con flechas y empiezo a contarlas—. Es un nuevo modelo que Luca me dio el mes pasado para probar.

—Estás desquiciado. —Chasquea la lengua—. ¿No puedes hacer nada de manera normal? ¿Por qué no despacharlos con un cuchillo?

—Porque generalmente hay al menos tres hombres en este puesto de control. Y no está lo suficientemente oscuro como para acercarse sigilosamente a tantos objetivos.

—Entonces, ¿escogiste una jodida ballesta? ¿Quién te crees que eres, el maldito Van Helsing?

—*Oh*, ya cállate.

—¿Qué tal un rifle de francotirador?

—No en este terreno. Tendría que acercarme demasiado para eso. —Me coloco un cuchillo en el muslo y tomo la ballesta—. Volveré en una hora. Prepara las cámaras y las colocaré alrededor del recinto tan pronto como oscurezca.

—¿Cuántas?

—Doce. Haz que Mimi haga sus necesidades, pero no deambules. Nadie debería encontrarnos aquí, pero ten un arma lista, por si acaso.

—¿De verdad crees que puedes lograr esto? Son al menos treinta guardias de seguridad, Sergei. Además, los invitados, que probablemente estarán todos armados.

—No es nada que un poco de C-4 no pueda manejar —explico y me dirijo en dirección a los guardias.

—¿Condujimos todo el camino hasta aquí con C-4 en el maletero? —susurra y grita a la vez detrás de mí—. ¿Cuánto empacaste?

Miro por encima del hombro y le guiño un ojo.

—Todo, Albert.

Hay cuatro de los hombres de Diego alrededor de la cabaña que usan como puesto de control. Uno está de pie junto a los vehículos estacionados a un lado, mientras que el resto está sentado en el porche, comiendo. No me gusta matar gente cuando están en medio de una comida, parece una falta de respeto, pero tengo una agenda muy apretada aquí.

Apunto la ballesta al hombre solitario, y cuando estoy seguro de que nadie está mirando en su dirección, dejo volar la flecha. Empala el costado de su cabeza, pero calculé mal el ángulo. En lugar de una caída directa, el impacto impulsa al tipo sobre el capó del automóvil antes de que su cuerpo ruede al suelo. Las cabezas de los otros hombres giran en dirección a los vehículos, aunque no pueden ver lo que pasó desde donde están.

Cargo otra flecha en la ballesta y espero.

Dos tipos toman sus armas y se dirigen alrededor de la cabaña hacia los autos, llamando a su amigo. En el momento en que doblan la esquina, le disparo al tipo que se quedó en el porche. Dejo la ballesta en el suelo y, sacando el cuchillo, corro hacia los vehículos del otro lado.

Si ven el cuerpo, pueden llamar a la base para reportarlo, y no puedo permitirlo. La principal ventaja de mi plan para mañana es el factor sorpresa. Si no tengo eso, todo se puede ir al carajo. Usar mi arma no es una opción porque estamos demasiado cerca del recinto y alguien puede escuchar. Ir contra dos hombres armados solo con un cuchillo no es lo más sensato, mas tendrá que funcionar. Pego mi espalda al costado de un camión todoterreno, justo al lado del tipo muerto, y espero.

Uno de los hombres se vuelve para mirar hacia la cabaña, y aprovecho ese momento para saltar frente al otro tipo y cortarle el cuello. En el instante en que su cuerpo golpea el suelo, entierro el cuchillo en el costado del otro individuo y agarro su arma con mi mano libre. Dos puñaladas más y listo.

Escondo el cuerpo del primer tipo que maté, en el

maletero de uno de los coches. Me toma quince minutos arrastrar a los otros tres hasta los autos y esconderlos también, antes de estar listo para regresar. Es hora de preparar el escenario para mañana.

—Déjame ver. —Nana Guadalupe toma mi barbilla entre sus dedos e inclina mi cara hacia un lado, inspeccionando los moretones que ahora tienen un asqueroso tono púrpura.

—Nana, quiero que me consigas un arma —pido y me vuelvo para mirarla—. Tiene que ser hoy. No sé a qué hora llegará mañana por la mañana la maquilladora y estilista.

—¿Y qué piensas hacer con el arma, Angelinita?

—Voy a matar a Diego mañana.

—¡No! —Agarra mi mano—. Incluso si logras dispararle, sus hombres te matarán ahí mismo.

—Me dijo que planea cogerme delante de todos después de la boda —confieso y le aprieto la mano—. Si lo intenta, necesitaré esa pistola, Nana. Porque no dejaré que ese hijo de puta me viole en una mesa frente a sus invitados.

Estuve pensando en mis opciones y no encontré ninguna otra. Si trato de huir, hay tres resultados posibles. Uno, fallo, y Diego me mata enseguida. Dos, fallo, Diego me atrapa y me regresa a rastras. Y tres, logro escapar y él mata a Sergei. Los dos primeros son básicamente lo mismo, porque si él me arrastra de regreso, eso significa mi muerte. Me torturará por desafiarlo antes de matarme. El tercero está fuera de discusión porque estoy absolutamente segura de que asesinará a Sergei para castigarme por convertirlo en el hazmerreír del recinto al huir de él dos veces.

Tomo la cara de mi nana entre mis manos y miro sus dulces ojos.

—¿Me conseguirás esa pistola?

Aprieta sus labios y asiente con la cabeza.

Capítulo veintiuno

Angelina

Me siento en una silla en medio de la habitación mientras dos chicas me peinan y miran el vestido de seda blanca que llevo puesto. Sabiendo que fue Diego quien lo eligió, no está tan mal. Esperaba una pequeña pieza de tela que apenas me cubriera el trasero y los senos, sin embargo, el vestido es bastante modesto, con un escote alto y una falda que se ensancha desde la cintura. No tiene mangas, así que tuve que cubrir el corte en la parte superior de mi brazo con base de maquillaje. Até la pistola que Nana me dio alrededor de mi muslo derecho con la banda elástica que extraje de la cintura de mis pantalones deportivos. No es la mejor solución, aunque funciona. Gracias a Dios, la falda es ancha, por lo que el arma está bien oculta bajo el pesado material de seda. Si Diego hubiera elegido algo corto o ajustado, hubiera sido imposible ocultarlo a la vista.

La puerta detrás de mí se abre y Maria entra usando un

vestido rojo corto con lentejuelas. Hay una sonrisa falsa reflejada en todo su rostro, y sus ojos me miran con malicia.

—Llegarás tarde. Diego no estará contento —revira.

Todavía no puedo entender cómo puede dejar que ese cerdo la folle todas las noches. Solo con mirarlo me da ganas de vomitar.

—Por lo que escuché, está de buen humor —comento.

La bebida y la música comenzaron hace horas. Puedo escuchar las risas y los gritos desde aquí, aunque mi habitación está en el lado opuesto de la casa.

—Deberías poner más maquillaje sobre los moretones, Angelina. El tono azulado todavía se nota.

—Al igual que tú —replico y la veo girarse hacia el espejo, inspeccionándose la cara. Entonces, él también la golpea. Parece que no soy tan especial después de todo—. Vete. Salgo en un minuto.

Después de que María se va, despido a las maquilladoras. Cuando por fin estoy sola, me siento en la cama y cierro los ojos, dejando que mi mente se desplace a mi última noche con Sergei. No puedo creer que me dejara frotar el aceite de rosas por todo su cuerpo. Todavía olía un poco a flores cuando fue a la reunión a la mañana siguiente. Mis labios se abren en una sonrisa ante el recuerdo, mas una sola lágrima se desliza por mi mejilla. Dios, lo extraño tanto. Ojalá tuviéramos más tiempo juntos.

Escucho otra ronda de risas alborotadoras que me devuelven a la realidad. Levantando mi mano, limpio la lágrima perdida, luego coloco mi mano en mi muslo para sentir el arma escondida debajo del material sedoso. Hora de irse. Me levanto y salgo de la habitación.

—*¡Palomita!* —Diego ruge desde su lugar en la cabecera de la mesa que se ha instalado en el jardín—. Ven aquí.

Aprieto mis manos en puños y camino a través de la amplia extensión de césped hasta llegar al patio empedrado donde todos se han reunido. Hay alrededor de cuarenta personas, en su mayoría hombres. A algunos de ellos los conozco porque eran colaboradores y socios comerciales de mi padre que venían a nuestra casa con bastante frecuencia. Por la forma en que evitan mirarme, probablemente saben que no estoy aquí por mi voluntad, pero ninguno de ellos me defenderá. Los negocios siempre son lo primero, al demonio la moral. Los demás me miran pasar, contando chistes sucios, riéndose como cerdos y felicitando a Diego por su elección.

Cuando me acerco a la cabecera de la mesa, noto al sacerdote sentado a la izquierda de Diego y, por un segundo fugaz, surge la esperanza en mí. Lo conozco. Mi padre donaba dinero con regularidad para los niños sin hogar de los que se ocupa su iglesia. Sin embargo, cuando me mira, hay una mirada de terror en sus ojos, así como una advertencia mientras mira de reojo a Diego. La esperanza se desvanece en mí cuando me doy cuenta. El padre Pedro también ha sido amenazado. Me pregunto si mi repugnante futuro esposo obligará al sacerdote a quedarse y mirar cuando intente violarme frente a todos.

—¿No es hermosa? —Diego pregunta mientras toma mi muñeca y tira de mí hacia la silla.

Siento su mano carnosa alcanzar mi pierna, justo por encima de mi rodilla, y me quedo completamente inmóvil. Si mueve la palma de su mano unas pocas pulgadas por encima de mi muslo, sentirá el arma que he atado allí.

—No tan regordeta como me gustan, pero servirá. —Diego se ríe y exhalo cuando retira la mano para tomar una copa de vino.

Ya está borracho, al igual que todos los demás alrededor de la mesa. El sacerdote probablemente tendrá que casarnos mientras estamos sentados, porque dudo que Diego pueda ponerse de pie. Miro hacia la casa y veo a nana Guadalupe parada allí con su mano derecha escondida dentro de su suéter tejido. Me mira fijamente, pero luego sus ojos se desplazan hacia Diego. ¿Por qué tiene puesto eso? Hace un calor infernal, y yo me estoy derritiendo con mi vestido. Me mira, luego mira el reloj que lleva en la muñeca izquierda y sonríe antes de dirigirse en nuestra dirección. La observo con los ojos entrecerrados mientras camina alrededor de la mesa y se para detrás de mi silla.

—Quédate abajo —susurra en mi oído, agarra el respaldo de mi silla y la empuja hacia un lado conmigo todavía en ella. Mientras caigo, un sonido agudo atraviesa el aire.

Aterrizo sobre mi hombro y grito, pero mi grito se pierde en el *boom* épico que resuena en algún lugar cerca de la puerta de seguridad. Hay unos momentos de silencio total, y luego tres explosiones más, una tras otra. La gente empieza a gritar, saltan de sus sillas y buscan sus armas. Ruedo hasta que estoy debajo de la mesa y miro hacia arriba para ver a nana Guadalupe agachada a mi lado, agarrando un arma con la mano. Todavía está sonriendo.

—¿Qué está sucediendo? —grito mientras me subo la falda y saco mi arma, aunque no creo que me escuche porque las explosiones continúan a nuestro alrededor, cada una con menos de unos segundos de diferencia. Suena como el maldito fin del mundo. Miro alrededor del mantel para ver qué está pasando justo a tiempo para ver cómo se derrumba el edificio auxiliar donde almacenan los vehículos. Los invitados y los guardias de seguridad corren por el césped con las armas en alto, todos confundidos, y noto que uno de los hombres cae al suelo. Por un momento, creo que debe haber tropezado, pero luego mis ojos encuentran un gran punto rojo en el centro de su frente.

En la breve pausa entre las explosiones, escucho otro silbido y veo caer a otro hombre.

—¡Es un francotirador! —alguien grita, y la gente empieza a correr para cubrirse.

Dos guardias de seguridad giran hacia la casa solo para terminar en el suelo poco después. Los invitados corren en una estampida salvaje hacia sus vehículos estacionados y, uno por uno, los autos se dirigen hacia la puerta abierta que ahora cuelga de sus soportes, destruida en una de las explosiones. La mayoría de las personas que quedan atrás son los soldados y los guardias de seguridad de Diego.

Una mano agarra el borde del mantel frente a mí, y la cabeza de uno de los guardias aparece debajo de la mesa. Me agarra por el cabello, arrastrándome, justo cuando nana Guadalupe presiona su arma contra su sien y dispara. Sangre y sesos explotan por todo mi vestido, sin embargo, no tengo tiempo para pensar en ello porque otro par de manos agarran mi tobillo y tiran de mí hacia atrás. Me agarro a la pata de la mesa y me giro para ver la cara furiosa de Diego.

—¡Ven aquí, perra! —brama, tirando de mi pierna.

Apunto el arma a su pecho y dejo que la bala vuele,

aunque le da en el hombro, lo que solo lo enfurece más. Vuelve a tirar de mi pierna y el arma se me resbala de la mano.

Mi corazón da un brinco y mi respiración se detiene. Un sudor frío me cubre la frente. Mis ojos se agrandan cuando Diego me apunta con su pistola.

De repente, una enorme masa negra se estrella contra el costado de Diego y la bala destinada a mí explota en la silla volcada, falla por muy poco, pero llueven escombros por todas partes. Miro boquiabierta a la bestia que sostiene el cuello de Diego en su mandíbula, escuchando los extraños gorgoteos que salen de la garganta del hombre que pronto morirá.

—¿Mimi?

La perra gira su cabeza hacia mí sin soltar a su presa, sacude la cabeza y los huesos de Diego se rompen con un crujido. Un largo silbido llega a mis oídos y la cabeza de Mimi inmediatamente se inclina hacia un lado. Ella deja escapar un gruñido bajo y corre tras un soldado que está huyendo. Miro con los ojos muy abiertos mientras ella salta sobre su espalda, tirándolo al suelo. La sangre salpica por todas partes cuando Mimi hunde sus colmillos en la nuca del hombre.

El silbido sigue perforando el aire cada par de segundos. Otra explosión resuena, seguida de una más, y el lado izquierdo de la casa donde antes estaba la cocina se derrumba, una nube de polvo envuelve todo a su alrededor.

El amartillar de un arma suena detrás de mí, y me doy vuelta para ver a nana Guadalupe apuntando a otro soldado. Ella dispara, pero falla. El hombre comienza a levantar su arma de fuego, pero se detiene en medio del movimiento y cae de rodillas, revelando una figura vestida de negro de pie a varias yardas de distancia, sosteniendo un arma. Parpadeo, luego miro fijamente, enfocándome en sus pantalones tácticos y la variedad de armas atadas alrededor de sus piernas. Dejo que mis ojos viajen por encima del chaleco antibalas y la camisa negra para fijarme en su rostro, camuflado con pintura militar. No puedo ver sus rasgos con claridad, no obstante, reconocería su cabello claro en cualquier lugar.

—Sergei —susurro, y las lágrimas corren por mi rostro. Él vino por mí.

—Tu ruso es aún más guapo con todo su armamento —musita nana Guadalupe a mi lado.

—¿Qué? —pregunto, sin apartar los ojos de Sergei mientras corre hacia un auto estacionado donde se esconden dos soldados más.

—Anoche, cuando estaba llevando la cena a los soldados de Diego en el cuartel, saltó de entre los arbustos. Casi me da un ataque al corazón.

—¿Sabías lo que estaba planeando? ¿Por qué no dijiste nada?

Sergei se detiene, dispara a uno de los soldados y luego continúa corriendo mientras salta sobre cadáveres en el suelo.

—Dijo que era una sorpresa. —Ella se ríe—. Creo que es romántico.

—¿Romántico? —Observo las paredes desmoronadas de la casa de mi infancia, luego miro el césped cubierto de sangre y cadáveres, y me detengo en los dos edificios exteriores justo a un lado. O... lo que quedó de ellos.

Escucho un fuerte ladrido y vuelvo la cabeza hacia Sergei, que casi ha llegado al coche donde Mimi está atacando al soldado restante. Hay otro hombre agachado detrás de la pila de escombros, a unos diez pies de Sergei. Lleva un rifle en la mano y, mientras lo observo, levanta el arma. Tomo mi arma del suelo, apunto y envío todas las balas que me quedan al soldado. Dos lo golpean en el pecho y se cae. Nana también amartilla su arma y dispara tres balas más de esa manera.

—Por si acaso —comenta.

Cuando vuelvo a mirar a Sergei, está parado sobre el cuerpo del último soldado, la sangre goteando de un cuchillo largo en su mano, hablando por radio. Lanza una mirada al hombre que nana y yo acabamos de disparar, luego se vuelve hacia nosotras y levanta el pulgar. Sí, puede que esté un poco chiflado, pero lo amo de todos modos.

Se acerca el ruido de un motor y, un par de segundos después, un automóvil se detiene en el camino de entrada y la cabeza de Felix se asoma por la ventana.

—¡Vamos! —grita.

Tomo la mano de nana en la mía y corremos hacia el auto.

Sergei

Angelina empuja a su nana al asiento del pasajero, pero no puedo unirme a ellas aún. Todavía podría haber alguien cerca, y planeo eliminarlo antes de que piensen siquiera en convertirse en una amenaza para mi chica. No estoy seguro de cuántos de los hombres de Diego maté en los últimos veinte minutos. Entre treinta y cuarenta según el recuento aproximado.

No estaba pensando con claridad, y ni siquiera recuerdo cómo terminé con la mitad de ellos. Tenía mucho miedo de que alguien pudiera lastimar a Angelina si no era lo suficientemente rápido. Fue adrenalina, instinto y memoria muscular, pero estoy bastante seguro de que acabé con todos los enemigos. Mimi se encargó de algunos. Y creo que la nana de Angelina mató al menos a tres. Apesta no haber tenido la oportunidad de matar a Diego yo mismo, pero que le arrancaran la garganta debe haber sido una forma extremadamente desagradable de morir. Ese hecho me hace muy feliz.

Angelina cierra la puerta detrás de Guadalupe, aunque en lugar de entrar al auto, se vuelve hacia mí y solo me mira con la mano tapándose la boca. Su vestido elegante está roto en algunos lugares, y sangre ha sido salpicada en la mayor parte del mismo, pero no es nada comparado con mi apariencia. Debería haber dejado que Guadalupe le contara mi plan y haber mantenido a Angelina dentro de la casa. Es posible que me tenga aún más miedo ahora. Rápidamente, escondo mi mano que aún sostiene el cuchillo que usé para matar al último hombre a mis espaldas. No me atrevo a acercarme a ella porque no creo que pueda soportarlo si se aleja de mí. Si hay algo que no puedo tolerar, es que Angelina me tenga miedo. Cuando baja la mano veo que está llorando, y algo dentro de mí se desmorona.

Doy un paso atrás.

Felix puede llevarlas a un lugar seguro y volver por mí más tarde. No la haré soportar mi presencia ni la angustiaré más de lo necesario. Tal vez debería dar una vuelta y comprobar si alguno de los hijos de puta sigue con vida y corregir ese percance. Sí, eso haré. Aparto los ojos de Angelina y me dirijo al cuerpo más cercano cuando la oigo decir mi nombre. Me doy la vuelta, y mis ojos se abren de par en par cuando corre descalza hacia mí, agarrando la falda de su vestido arruinado en sus manos.

—¡Sergei! —llama de nuevo, salta sobre un soldado muerto y brinca a mis brazos—. Viniste por mí.

—Por supuesto que vine por ti —agrego y la beso como si mi vida dependiera de ello—. Siempre vendré por ti, nena.

Angelina aprieta sus brazos alrededor de mi cuello y sus piernas se oprimen alrededor de mi cintura.

—Me debes una casa.

—Sí, lo siento. Me dejé llevar *un poquito*.

—¿Un poco? —resopla y entierra su rostro en el hueco de mi cuello—. Pensé que nunca te volvería a ver.

—¿Por qué no dijiste nada? Yo me habría encargado de Diego por ti, nena.

—Me dijo que te mataría si no regresaba. —Presiona sus manos en mis mejillas y me mira a los ojos—. Nunca podría arriesgar tu vida. No creo que me perdonaría nunca si te pasara algo por mi culpa.

—Bueno, estoy seguro de que nadie me extrañaría ni a mí ni a mi mierda.

—¡No digas eso! —Aprieta mi cara—. ¡No te atrevas a decir eso nunca más! Felix te extrañaría. Mimi. Tu hermano.

—*Oh,* Roman probablemente haría una fiesta.

—Eso no es cierto, y lo sabes. —Se inclina hacia adelante, presionando sus labios contra los míos, luego se aleja para mirarme a los ojos—. Yo te extrañaría.

Mi cuerpo se queda petrificado.

—¿Por qué?

—Porque estoy enamorada de ti —susurra y me besa de nuevo.

Cuando se aleja, busco su rostro.

—Pensé que me tenías miedo. Lo dijiste en la nota que dejaste.

—Nunca te he tenido miedo, Sergei. Lo que temía era

que me persiguieras y terminaras muerto. Siento mucho haberte lastimado, amor.

—Entonces... ¿vas a volver? ¿Conmigo?

—Si no tienes nada en contra de ese plan, sí.

La miro a los ojos y la aprieto contra mí.

—Cásate conmigo —suelto de golpe.

Angelina parpadea, mira a nuestro alrededor donde hay al menos veinte cuerpos dispersos, luego me mira fijamente.

—Realmente sabes cómo elegir el momento y el lugar, grandulón.

—¿Quieres casarte conmigo?

Creo que mi corazón deja de latir mientras la observo con mis ojos pegados a sus labios, esperando su respuesta.

—Por supuesto que sí. —Sonríe y me besa.

De repente, un fuerte bocinazo viene desde la entrada y Angelina se tensa en mis brazos. Rechinando los dientes, miro el auto donde Felix sigue presionando la bocina.

—Voy a matarlo —reviro. El viejo murciélago arruinó mi propuesta de matrimonio.

—Idiotas enamorados, ¿pueden venir aquí de una vez para que podamos irnos? —Felix grita con la cabeza fuera de la ventana.

—¡Estás muerto, Albert! —bramo mientras llevo a Angelina al coche.

—¡Todos estaremos muertos si no nos vamos ahora mismo! Estoy seguro de que la mitad de la policía y los bomberos de México están en camino hacia acá. ¡Junto con un equipo de sismólogos, porque decidiste reorganizar el maldito continente con tus explosiones!

—Cállate la maldita boca y conduce.

Abro la puerta trasera y silbo para que Mimi entre, luego

me siento en la parte trasera, todavía con Angelina en mis brazos. En el momento en que Felix arranca el auto, presiono mi rostro contra su cabello e inhalo su aroma.

—Pensé que iba a perder la cabeza cuando te fuiste —murmuro junto a su oído.

—Lo siento mucho. Te prometo que lo compensaré tan pronto como lleguemos a casa.

—Sí, sobre eso... nos quedaremos en un hotel durante una o dos semanas —agrego y muerdo ligeramente un lado de su cuello.

—¿En un hotel?

—La casa está siendo redecorada.

—¿En serio? ¿Por qué?

—Sergei destrozó todo lo que no estaba pegado a una pared cuando te fuiste, por eso —lanza Felix por encima del hombro.

—¿Te puedes callar ya? —Chasqueo—. Ella puede cambiar de opinión y huir si sigues parloteando sobre lo trastornado que estoy.

La mano de Angelina acuna mi mejilla y gira mi cabeza hacia ella.

—¿Qué te dije? Dejarás de decir cosas así. ¿De acuerdo? —Se inclina y me besa—. No hay nada malo contigo, amor.

La presiono contra mí y vuelvo a hundir la nariz en su cabello y, por primera vez en años, siento que *yo* podría estar bien.

Un mes después

—Oye, ¿qué tal si ordenamos algunas persianas para las ventanas de abajo? —pregunto mientras entro al dormitorio—. También podríamos...

Vestido solo con pantalones deportivos, Sergei está sentado en la cama y mira fijamente la pared frente a él, con el cuerpo inmóvil y los ojos vacíos. Mierda. No ha tenido ningún episodio desde que regresamos de México. Dejo el montón de toallas limpias que llevo y me acerco lentamente a la cama.

—Hola, cariño. —Me paro entre sus piernas y envuelvo mis brazos alrededor de su cuello—. Estaba pensando que tal vez podríamos pintar la sala de estar de color rosa. Ese tono pastel femenino, ¿sabes?

No mueve un músculo. Me inclino, presiono mis labios contra los suyos y dejo un camino de besos desde su boca, subiendo por su mejilla, hasta su frente, luego continúo bajando por su nariz hasta que llego a su boca nuevamente. Esta vez, sus labios se mueven ligeramente, respondiendo a mi beso.

—Felix y nana Guadalupe sacaron a caminar a Mimi —prosigo mientras presiono mis manos en su pecho y lo empujo ligeramente hasta que se acuesta en la cama—. Creo que algo está pasando entre esos dos. Han pasado mucho tiempo juntos. ¿Crees que Felix está engañando a Marlene con mi nana?

—Él y Marlene terminaron el fin de semana pasado —expresa Sergei y coloca su mano en mi cadera. Todavía está lejos, pero está regresando lentamente.

—Deberíamos usar este tiempo a solas. ¿Qué opinas? —Me siento a horcajadas sobre su cintura y me inclino para depositar un beso en el centro de su pecho—. Puedo masajearte con mis aceites después, si quieres.

—No, gracias.

Miro hacia abajo para encontrarlo viéndome fijamente, aunque sus ojos todavía están desenfocados. Maldición, esto es malo. Tirando de la cintura de sus pantalones deportivos, los deslizo junto con sus bóxers mientras me arrodillo frente a él, luego tomo su miembro duro en mi mano, me inclino y chupo la punta. Se contrae y se endurece más en mi mano, y no puedo evitar sonreír. Incluso en este estado, todavía responde a mí. Paso mi lengua por la parte inferior de su erección. La tomo completamente en mi boca y chupo. Hago estos mismos movimientos unas cuantas veces más antes de volver a subir por su cuerpo y acercar mi nariz a la suya cuando me doy cuenta de que no ha regresado completamente a mí.

—¿Me haces el amor, cielo? —Paso la punta de mi dedo por su nariz—. Por favor.

Las manos de Sergei llegan a la parte baja de mi espalda, luego se deslizan a lo largo de mi espalda, levantando mi camiseta con ellas. Toma el dobladillo entre sus dedos y, al momento siguiente, el sonido de la tela al rasgarse llena la habitación. Sonriendo, me quito el *top* arruinado, hago lo mismo con mis *shorts* y bragas, y lo monto a horcajadas de nuevo, colocándome encima de su longitud.

—Te amo —susurro.

Sergei parpadea, luego encuentra mi mirada, sus ojos claros llenos de deseo. Se agarra a mi cintura, golpeándome contra su pene, y jadeo.

—Me quedé dormido. —Me tira sobre su pecho, luego nos hace rodar hasta que está encima de mí—. Soñé que Diego te arrastraba de regreso a México.

Su mano se desliza en el cabello de mi nuca, agarrándolo, mientras su miembro se desliza hacia afuera. Agarro sus hombros, tirando de él y arqueando mi espalda, tratando de meterlo dentro de mí otra vez, sin embargo, Sergei solo sonríe y mueve su mano libre hacia mi coño, provocando mi clítoris.

—¿Qué estás haciendo? —gimo.

—Jugando. —Su mano desaparece y su polla se desliza dentro. Me penetra dos veces y luego vuelve a salir. Su dedo reemplaza su longitud.

Un gruñido lleno de frustración y necesidad sale de mis labios.

—¡Sergei!

—¿Sí, nena?

—¡Te necesito! —Jadeo—. ¡Adentro! ¡Ahora!

—¿Cuánto lo quieres? —El dedo en mi centro se curva y golpea un punto que hace que mi cuerpo se estremezca. Entonces el dedo desaparece, haciéndome querer gritar. Estoy tan cerca. Si continúa torturándome, voy a perder la cabeza.

Pellizca mi clítoris, luego desliza su dedo dentro.

—Pregunté cuánto, Angelina.

—Te voy a matar —susurro en su oído, muevo mi boca a su hombro y lo muerdo. Duro.

Un gruñido bajo sale de los labios de Sergei mientras empuja dentro de mí, enterrando su polla hasta el fondo. Su mano se desliza por mi pierna hasta que llega a mi rodilla.

—Pequeña tramposa. —Mueve mi pierna hacia arriba y hacia un lado, abriéndome más.

Sonrío, luego gimo cuando él comienza a moverse y me agarro de sus hombros, tratando de evitar deslizarme por la cama. No funciona del todo, así que apoyo mis manos contra la cabecera y jadeo mientras su cadera me clava contra el colchón. Él la tiene tan grande que duele un poco, pero es el tipo de dolor placentero. Uno que me recuerda que está aquí, tanto mental como físicamente. Mientras los temblores orgásmicos sacuden mi cuerpo, mis ojos se cierran, sin embargo, un latido después, Sergei agarra la parte de atrás de mi cuello.

—¡Mírame! —exige mientras se pone completamente rígido, su miembro se hincha imposiblemente más cuando encuentra su propia liberación.

Jadeo y abro los ojos. Poniendo mi mano en su mejilla, miro en sus ojos claros.

—Siempre —susurro.

Angelina

Cuatro años después

—Mami.

Levanto la vista del jugo que estoy exprimiendo y sonrío cuando mis ojos se posan en nuestro hijo de tres años, que está abrazando a Mimi por el cuello. Con mi cabello oscuro y los ojos claros de Sergei, es la mezcla perfecta de ambos.

—¿Qué pasa, Sasha?

—Papi está durmiendo despierto otra vez —dice.

Dejo la naranja en el mostrador y cruzo la cocina para agacharme frente a él.

—¿Intentaste darle un beso para despertarlo?

—No.

—Vamos a hacerlo juntos, entonces. ¿Sí?

—Bueno. —Toma mi mano y me lleva a la sala de estar.

Sergei está parado frente a la ventana, inmóvil, mirando algo afuera. Levanto a nuestro hijo en mis brazos y me paro frente a mi esposo.

—¿Listo? —pregunto, y Sasha asiente con entusiasmo—. Está bien, agárrate fuerte, por si acaso.

Mientras inclino a nuestro hijo hacia su padre, envuelve sus bracitos alrededor del cuello de Sergei y le da un beso en la mejilla. Las manos de Sergei salen disparadas al instante, agarrando al niño por la cintura y tirando de Sasha con fuerza contra su pecho.

—Lo siento. —Sergei se inclina para depositar un beso en mis labios—. ¿Cuánto tiempo?

—No más de cinco minutos —murmuro en su boca—. Lo estás haciendo muy bien, amor.

Los episodios de Sergei han disminuido significativamente en los últimos años. Este fue el primero en los últimos tres o cuatro meses. Ya no duran horas y es más fácil para él salir de ellos.

—¿Cuándo llegan Albert y Guadalupe?

—¿Por qué sigues llamándolo así? —Me río—. No ha vivido aquí en tres años.

Sergei sonríe.

—Porque lo molesta. Viejo murciélago loco. ¿Escuchaste lo que le compró a Guadalupe para su aniversario?

—No.

—Una escopeta.

—Que elegante. Estoy segura de que le encantará. ¿Cuándo lo…? —Mis ojos se enganchan en el televisor detrás de Sergei que muestra las últimas noticias—. *¡Wow!* ¿Viste esto?

Agarro el control remoto y subo el volumen, mirando el video en vivo de la vista aérea de lo que parecen las secuelas de un incendio devastador. El anuncio de noticias en la parte inferior de la pantalla dice que está sucediendo en el área de New York. No hay forma de saber cuál era la estructura antes del incendio, solo queda la forma en general. La escena cambia a imágenes de un hombre y una mujer que se les da por muertos en el incendio. El hombre parece tener treinta y tantos años, es guapo, vestido con traje. Parece un hombre de negocios. Cambio mi mirada a la otra foto. El texto debajo dice que la mujer tiene veintitrés años, pero el traje de pantalón negro que lleva puesto, la expresión distante y el peinado la hacen parecer mayor. La presentadora de noticias sigue hablando de fondo, pero no entiendo lo que dice porque Sergei se echa a reír a mi lado.

—Lo sabía —resopla y sacude la cabeza—. Alguien debe haber hecho enojar realmente al antisocial hijo de puta.

Lo miro fijamente, confundida.

—¿De qué estás hablando?

—Eso. —Señala la pantalla del televisor, que muestra una vez más la destrucción causada por el fuego—. ¿Ves cuán uniforme y completamente se quema el edificio? Eso es extremadamente difícil de lograr. Solo conozco a una persona que puede lograrlo. —Se ríe de nuevo—. Albert se volverá loco cuando le diga que Az está vivo.

—¿El tipo de tu unidad? ¿El que desapareció?

—Sí. —Coloca un beso en la mejilla de Sasha, luego coloca su mano en la parte baja de mi espalda, justo sobre mi tatuaje y me acerca a su costado.

Lo que dije hace tantos años fue en serio, cuando acepté tener *Prinadlezhit Sergeyu Belovu* tatuado, y me sorprendió y divirtió cuando Sergei le pidió al tatuador que replicara las palabras en él también, reemplazando su nombre por el mío.

Hay un sonido de pasos que se acercan, y miro por encima del hombro para ver a Felix y a mi nana entrando en la habitación. Felix mira la televisión y se detiene abruptamente.

—¡Voy a matarlo, carajo! —brama, sacudiendo la cabeza mientras mira a la pantalla—. Prometió que sería discreto. ¿Te parece que esto es pasar desapercibido?

—¡Viejo tramposo! —grita Sergei, mirando a Felix—. ¿Sabías que Az estaba vivo?

—¿Sabía? —Felix levanta una ceja—.¿Cómo crees exactamente que logró desaparecer y permanecer oculto del gobierno?

—¿Sabes su verdadero nombre?

—Por supuesto que sí.

—¿Cuál es? —pregunta Sergei.

Felix solo sonríe.

—No querrás saberlo. —Vuelve a mirar la televisión—. Me pregunto qué lo agitó tanto que resurgió después de ocho años.

FIN

Estimado lector

¡Muchas gracias por leer la historia de Sergei! Espero que consideres dejar una reseña, permitiendo que los otros lectores sepan lo que piensas de Verdades Ocultas. Incluso si es solo una oración corta, hace una gran diferencia. Las reseñas ayudan a los autores a encontrar nuevos lectores y ayudan a otros lectores a encontrar nuevos libros para amar.

Si deseas leer más de mis libros, visita mi sitio web o mi página de autor en Amazon, y mantente actualizado siguiéndome en las redes sociales. El próximo libro de la serie es Secretos Destruidos, que sigue a Luca Rossi (proveedor de armas de Sergei) e Isabella (la nieta del Don de la familia de La Cosa Nostra de Chicago). Esta es una historia de diferencia de edad y de matrimonio arreglado (Luca tiene 35 años, Isabella tiene 19).

Neva Altaj escribe apasionante romance de mafia contemporáneo sobre antihéroes dañados y heroínas fuertes que se enamoran de ellos. Tiene una debilidad por los alfas locos, celosos y posesivos que están dispuestos a quemar el mundo hasta los cimientos por su mujer. Sus historias están llenas de erotismo y giros inesperados, y un felices para siempre está garantizado en todo momento.

A Neva le encanta saber de sus lectores, así
que no dudes en ponerte en contacto:

Sitio web: www.neva-altaj.com
Facebook: www.facebook.com/neva.altaj
TikTok: www.tiktok.com/@author_neva_altaj
Instagram: www.instagram.com/neva_altaj
Página de autor de Amazon: www.amazon.com/Neva-Altaj
Goodreads: www.goodreads.com/Neva_Altaj
BookBub: www.bookbub.com/authors/neva-altaj

Made in the USA
Las Vegas, NV
07 November 2023

80385599R00154